ANDRÉ MAUROIS
de l'Académie française

Les roses de septembre

Éditions J'ai Lu

ANDRÉ MAUROIS | *ROMANS*

Les roses de septembre

ANDRÉ MAUROIS
de l'Académie française

A SIMONE

Ce roman est un roman ; ces personnages
sont des personnages. Qui voudrait y reconnaître des êtres réels, vivants ou morts, prou-
verait qu'il ne sait ce qu'est un roman et ce
que sont des personnages.

PREMIÈRE PARTIE

Il y a tant de manières de dire la
vérité sans la dire tout entière!
L'absolu détachement des choses n'ad-
mettrait-il aucun regard jeté de loin
sur celles que l'on désavoue? Et quel
est le cœur assez sûr de lui pour
répondre qu'il ne se glissera jamais un
regret entre la résignation, qui dépend
de nous, et l'oubli qui ne peut venir
que du temps?

EUGÈNE FROMENTIN.

1

Le soir était brumeux et doux. Dans les allées du Bois, ils foulèrent un tapis de feuilles mortes au crissement soyeux, étouffé. Hervé Marcenat pensa que la rapidité des mouvements, la silhouette mince, l'éclat des yeux donnaient à son compagnon un air de jeunesse inattendu. Il essaya de le faire parler de ses livres. Fontane s'arrêta et leva sa canne vers le ciel, avec indignation :

— Ah ! non, mon ami, non !... Laissons en paix ces malheureux ouvrages. Vous allez croire à de l'affectation, mais je les ai presque tous oubliés... Et quoi de plus naturel ? Qu'est-ce qu'un livre ? Le durcissement d'un moment de la pensée... L'auteur prend... heu... un moulage de ses passions à un moment M... Or, l'homme que vous rencontrez dix ans, vingt ans plus tard, est celui d'un temps M', M'' ; il n'a plus en commun, avec l'auteur de votre livre bien-aimé, que des souvenirs d'enfance, et encore... Le Guillaume Fontane qui écrivait, dans une pauvre chambre, ces *Exercices* que vous voulez bien louer, je pense à lui comme à un inconnu... D'où, pour l'écrivain, une profonde indifférence à son œuvre passée, et un intolérable ennui s'il se trouve contraint à la relire. Vous connaîtrez cela.

— Et pourtant, mon cher maître, Balzac aimait à discourir sur ses héros.

— Balzac fut ce phénomène rarissime : le romancier authentique... Mais moi... Je ne suis pas plus romancier que Montesquieu, qui ne l'était guère.

— Cependant, vos romans...

— Mon ami, quand vous me connaîtrez mieux, vous comprendrez comment sont nés mes romans. Vous avez bien entendu parler de ces jeunes filles, ardentes et folles, qui viennent trouver un homme qu'elles admirent et lui disent : « Je veux un enfant de vous !... » Bon... Imaginez maintenant qu'une femme m'ait dit : « Je veux des romans de vous », et vous ne serez pas loin de la vérité. J'ai cédé ; on cède toujours. Le rôle de Joseph est humiliant. J'ai donc... heu !... péché plusieurs fois, et mes romans sont nés de ces faiblesses... Mais je ne puis dire que ces passades comptent beaucoup à mes yeux.

— Et qu'est-ce qui compte à vos yeux ?

— Qu'est-ce qui compte ?

Guillaume Fontane brandit sa canne vers les nuages :

— Eh bien, avant tout, le plaisir de penser... Non pour en écrire... Mais pour soi, en lisant les penseurs... Qu'est-ce qui compte ? Flâner dans une bibliothèque, ouvrir un livre au hasard, déboucher au tournant d'une page sur une phrase qui m'enchante ; relire un auteur qui a été le compagnon de ma jeunesse ; avoir la joie de le trouver neuf, et intacte mon émotion... Qu'est-ce qui compte ? L'amitié. Pas l'amitié jalouse ; l'amitié qui serait estime mutuelle, accord de deux sensibilités ; surtout l'amitié entre homme et femme, réchauffée par la sensualité sans être... heu !... calcinée par la jalousie.

— Et vous n'aimez pas votre travail ?

— Si, bien sûr... Plus exactement, j'aimerais engendrer, en des années de laborieuse paresse, un court chef-d'œuvre : *Candide* ou les *Fleurs du Mal*... J'aimerais accumuler lentement des maximes et des caractères. Nous écrivons tous beaucoup trop. Ce n'est pas que nous le désirions. Mais on nous y pousse. Et il faut vivre... Tenez, mon bon ami, vous entrez dans cette carrière — puisqu'on appelle ça maintenant une carrière — je vais vous indiquer quelques règles de morale provisoire... Vous ne les suivrez pas ; je ne les suis pas moi-même ; elles n'en sont pas moins excellentes... Ne vivez pas à Paris... Venez-y, de temps à autre, pour étudier des mondes qu'il vous faut connaître, mais travaillez dans la solitude. Ne voyez jamais un éditeur ni un directeur de journal. Correspondez avec eux, s'il le faut ; ne tenez aucun compte de leurs démarches ni de leurs conseils... Ne vous occupez pas de la valeur marchande d'un livre. Boileau *donnait* ses livres à Claude Barbin ; il ne les lui vendait pas et, s'il disait de Racine :

Je sais qu'un noble esprit peut, sans honte et sans
                                    [*crime*
Tirer de son travail un tribut légitime...

c'était par... heu !... indulgence d'ami qui, au secret de son cœur, désapprouvait... N'écoutez jamais les conseils d'une épouse, ni d'une maîtresse, ni d'un flatteur... Publiez peu. N'ouvrez votre main que lorsqu'elle sera pleine. Et *surtout* donnez tous vos soins à la forme... La fô-orme, mon ami, la fô-orme... Elle seule assure la durée des œuvres. Le sujet n'est rien. Théocrite notait les conversations de quelques ménagères ; Cicéron plaidait de plats procès administratifs ; Pascal entretenait avec des Jésuites, sortis de son imagination, une controverse aujourd'hui défunte. Tous ces hommes se font lire, après des siècles, par la rigueur de la forme... Elle seule met, sur la vie, la marque de l'homme. Mieux vaut écrire un poème qu'un roman... Voilà, et j'écris, moi, des romans qui sont loin d'être des poèmes. Mais je ne les aime pas, mon ami ; sachez que je ne les aime pas. *Video meliora proboque*...

Il avait prononcé toute cette tirade avec passion, en chassant de sa canne les pierres du sentier.

— Que vous êtes sévère ! dit Hervé. Vos romans sont poétiques et, quant à votre forme, je préfère sa simplicité sans ornements à ces jongleries où chaque mot semble briller d'un éclat isolé.

Ils arrivaient à la porte Saint-James. Fontane s'arrêta entre les grilles, se planta solidement en face du jeune homme et faillit se faire écraser par une voiture qui entrait dans le Bois.

— Ah ! non ! dit-il. Laissez-moi au moins le privilège d'être conscient de mes limites.

— Mais si tel est votre sentiment, mon cher maître, pourquoi ne pas chercher à vous plaire ? Vous êtes un homme libre, assez illustre, assez riche pour ne dépendre de personne. Que ne faites-vous ce que vous désirez ?

— Mon bon ami, dit Fontane, vous ne connaissez pas la vie. C'est une garce, qui a une volonté de fer. Elle vous matera, comme les autres... Et ne croyez pas que je sois riche !... Bien au contraire... J'ai jadis épousé une femme riche, c'est vrai, mais la guerre a passé là-dessus et, avec la chute du franc, Pauline est devenue pauvre. Or, elle a des goûts de femme riche et, pour la faire vivre comme elle en a l'habitude, je dois me prostituer... Voilà !... Traversons ! nous sommes arrivés.

La maison que Fontane habitait à Neuilly, à l'angle du boulevard Richard-Wallace et de la rue de la Ferme, était au centre d'un jardin, villa prétentieuse aux fenêtres à meneaux, aux balcons tourmentés ; flanquée d'un perron à volutes ; mélange de faux gothique, de faux Renaissance et de trop véritable 1900. Fontane fit entrer son compagnon dans le jardin, planté, comme celui d'une préfecture, de pensées violettes et jaunes en parterres ovales. De sa canne, il montra la façade avec dégoût :

— Regardez ça ! dit-il. Est-ce une demeure d'écrivain ? Cette maison cossue et en somme... heu !... hideuse. Il faudrait vivre dans un lieu de beauté, ou dans une cellule. Mais le moyen ? Ma femme a hérité ce... monument de son premier mari... Se détacher du passé est difficile, voire impossible... Entrez un instant... Je vous montrerai le réduit de la défense. Car tout de même, on organise la défense.

Il introduisit Hervé dans un vestibule à colonnes, dallé de marbre noir et blanc, comme un hall d'hôtel, puis, descendant quelques marches, dans une bibliothèque. Les reliures y brillaient en lignes continues, baignées de reflets d'or. Fontane regarda autour de lui :

— Ici au moins, dit-il, je suis mon maître... Prenez un fauteuil, mon ami.

Après un léger coup à la porte, un vieil homme en veste blanche parut. Gras, pompeux, patelin, il avait les manières moelleuses et débonnaires d'un chanoine de comédie.

— Madame fait dire à Monsieur de ne pas oublier que Monsieur dîne à l'ambassade, qu'il est déjà sept heures trente, et que le dîner sera en habit.

Guillaume Fontane soupira, leva les yeux au ciel et se tourna vers son visiteur :

— En habit ! dit-il, en habit !... Et voilà comment je suis maître de moi... Un habit ! Livrée de servitude... Enfin !... Vous allez rester encore cinq minutes, mon bon ami... Alexis, allez dire à votre maîtresse que je suis ici par la volonté des Muses et que je n'en sortirai que par la force des habitudes.

Alexis, souriant avec indulgence et onction, se dirigea vers la porte, à pas mous, et Fontane revint à Marcenat :

— Au diable les ambassades ! dit-il... Le retard est la politesse des artistes... Mais oui... L'artiste plaît, autant que par son œuvre, par sa révolte contre les conventions. Il doit être... heu !... l'incarnation de la liberté. Le bourgeois pense, avec une feinte colère : « Tout de même ce Rimbaud, ce Verlaine, ils en disaient des choses ! » Et au fond, il est très content... Tenez, ce constructeur de voitures qui m'invite si souvent à dîner...

Comment l'appelez-vous ? Mais si, vous savez bien, celui chez lequel je vous ai rencontré ?...

— Larivière ?

— C'est ça, Larivière... Eh bien, il m'est reconnaissant, cet homme, de rester, malgré les pressions mondaines et conjugales, inexact, flâneur, imprévisible, parce que lui, il n'ose pas l'être... « *Votre travail !* » dit ma pauvre femme avec piété... Le travail ! La sainteté du travail ! « Tu gagneras ton pain en écrivant des romans », dit le Seigneur... Pourquoi ? Et si les puritains s'étaient trompés ? Si la vie était faite pour les plaisirs ? Les Puritains font fortune, faute de jouir, et ils ne jouissent pas de leur fortune. Tout ça repose sur des prémisses fausses. « Vanité des vanités », nous dit l'Ecclésiaste, mais il n'en croit pas un mot... Enfin, tout de même, relisez-le... Vous verrez que l'Ecclésiaste était un vieux paillard qui, sur le retour, trouvait son dernier plaisir à se lamenter.

Il discourut ainsi pendant une demi-heure et ne capitula qu'à la troisième sommation de Mme Fontane, qui vint la prononcer en personne. En robe du soir, les épaules nues et fermes, un croissant de diamants dans les cheveux, elle avait grand air. Les « yeux de velours », dont les chroniqueurs avaient parlé naguère, gardaient leur éclat pathétique. Une évidente intelligence attirait ; une maladresse imposante éloignait. Mme Fontane faisait penser à ces souveraines timides qui blessent inconsciemment. Le regard qu'elle jeta sur Hervé fut hostile.

— Je vous en prie, monsieur ! dit-elle... Laissez

mon mari s'habiller. Nous devrions être partis...
Vraiment, Guillaume, ce n'est pas raisonnable...

— Pauline, dit Fontane, ne compromettez pas
la raison dans des aventures où elle n'a que faire...
Allons, au revoir, mon ami, et revenez !

— Oui, c'est cela, dit Mme Fontane. Revenez un
jour déjeuner avec nous. Ce sera le meilleur
moyen de voir Guillaume sans interrompre son
travail.

Au-dehors la lune, déjà haute, découpait des
ombres courtes et dures. De pâles réverbères
jalonnaient un boulevard désert, interminable et
mélancolique. Marchant vers un lointain métro,
Hervé Marcenat se demandait ce que cachait
l'amer badinage de Fontane ? Révolte montante
ou résignation bavarde ? Qu'était Pauline Fontane ? Précieuse conseillère ou tyran domestique ?
Il ne savait et s'étonnait de se trouver jeté, si
rapidement, dans l'intimité d'un homme qu'il
avait cru inaccessible.

2

Edmée Larivière habitait, quai de Béthune, un
appartement impeccable dans une maison déla-
brée. Hervé Marcenat, qui attendait depuis vingt
minutes qu'elle rentrât, nota que les toiles aux
couleurs crues, aux angles agressifs, faisaient avec
les hautes boiseries Louis XV et les vases de Chine
blancs une dissonance voulue. Des amibes
rouges, entre les deux fenêtres drapées de soies
anciennes, flanquaient un cylindre bleu drapeau,
oblique, cannelé. Hervé se leva pour déchiffrer,

sur les rayons, les titres des livres et retrouva la même saveur douce-amère.

« Ma cousine Edmée, pensa-t-il, est une personne délicate et compliquée. »

Ce grand jeune homme, tout frais arrivé du Limousin, n'avait rien des manières brusques de ses contemporains ; il prenait plus de plaisir à comprendre les êtres qu'à les blâmer.

Un panneau galbé, qui formait porte, s'ouvrit. Edmée entra, en tailleur gris clair, d'une simplicité magistrale. A quarante ans, elle gardait une démarche de jeune fille. Son teint, d'une fraîcheur lisse, semblait refléter une âme en paix. Hervé goûtait le visage pur, les yeux chamois, la voix et les idées nettes, mais l'angélique rigueur de sa cousine le laissait toujours vaguement inquiet.

— Pardon, Hervé, je suis en retard.

— Si peu !... J'admirais tes tableaux.

— Mon Vlaminck est beau, n'est-ce pas ?... Comment vont tes affaires ? Tu as signé ton service de presse ?

De ce parent provincial qui débutait à Paris, elle s'était constituée protectrice et suzeraine.

— Oui, j'ai fini, dit-il. Les dédicaces m'ont donné bien du mal.

— Ne te fatigue pas ; personne ne les lit. Tu as reçu des lettres ?

— Une seule, mais qui m'a ravi, de Guillaume Fontane.

— Non ? Guillaume t'a écrit ?

— Une lettre enivrante.

— Voilà qui est flatteur... Notre Guillaume n'est pas prodigue de sa prose. Tu l'admires ? J'aurais cru que ta génération se détachait de lui.

— Affinité serait un mot plus juste qu'admiration. Je connais ses faiblesses ; elles me plaisent.

— Et alors ? Tu l'as vu ?

— Je l'ai vu ; j'ai fait avec lui une promenade au Bois ; je l'ai même accompagné jusqu'à sa maison...

— D'où sa femme t'a aussitôt expulsé ?

— Non, mais où elle a repris possession de lui... Parle-moi de Mme Fontane, Edmée.

Elle réfléchit un instant.

— Pauline Fontane ? dit-elle. Je la connais depuis longtemps. Elle venait chez mes parents quand j'étais petite fille. En ce temps-là elle était Mme Boersch, femme d'un banquier qui commanditait la maison d'édition de papa... Belle, puissante, autoritaire... Que veux-tu savoir d'elle ? Elle est née Pauline Langlois, de famille universitaire. Son père a été recteur à Nancy ; c'était un philosophe. *Le Vocabulaire philosophique* de Langlois, papa avait publié ça... Elle a été élevée dans un milieu de professeurs et elle est « cultivée », comme disent les gens qui ne le sont pas... ou au moins très bien informée.

— Et pourquoi avait-elle épousé un banquier ?

— Pourquoi pas ? J'ai bien épousé un fabricant d'automobiles... Du mariage Boersch, je ne sais pas grand-chose. Cette histoire s'est passée à Nancy... Boersch, beaucoup plus âgé que cette jeune fille, lui offrait une sorte de royauté locale. La famille Langlois a dû exercer une forte pression et Pauline, ambitieuse, a cédé... D'ailleurs Boersch a eu la décence de mourir presque aussitôt après le mariage en laissant à cette veuve de vingt-deux ans une maison à Nancy, une autre à Neuilly (celle qu'habitent les Fontane), une campagne en Lorraine et une fortune qu'elle a employée, pour une part, à protéger les lettres — ou plutôt les lettrés.

— Comment a-t-elle connu Fontane ?

— Elle recevait beaucoup d'écrivains. Je pense qu'il y avait là un élément de « compensation » ; cette fille de recteur avait dû considérer comme une déchéance le mariage avec un homme d'affaires. On lui a prêté, peut-être à tort, quelques liaisons « littéraires », de notoriété croissante. Et puis Guillaume Fontane est venu et son éclat a fait pâlir tous les autres. Elle l'avait découvert ; elle en était fière. Au début, elle s'est attachée à lui parce qu'elle croyait à son avenir. L'amour est venu après coup, et cet amour a rempli la vie de Pauline... C'est ce qu'elle a de sympathique... Elle est d'une jalousie redoutable. Il faut se garer... Mais je reconnais qu'elle a créé le Fontane que nous connaissons.

— Créé ! Quelle exagération, Edmée ! Fontane n'avait besoin de personne pour le *créer*. Son talent était bien antérieur à cette rencontre.

— O jeune ingénu ! Le talent et la gloire sont choses différentes. Il arrive qu'elles coïncident, mais aussi qu'elles divergent. Il y a des hommes tabous qui ne peuvent écrire : « *Ce matin, le ciel est menaçant ; je décide de mettre des sous-vêtements chauds* », sans que tout le monde crie au génie et il y a, au contraire, des hommes de génie qui ne sont reconnus pour tels qu'après leur mort.

— Oui, bien sûr, parce qu'ils ne désiraient pas la gloire. Stendhal aimait mieux s'exciter sur

Métilde ou bavarder avec Mérimée que pontifier dans les cérémonies. Il a eu ce qu'il voulait. On a toujours ce qu'on veut.

— Justement... Guillaume, pendant toute sa période prépaulinienne, refusait le succès. Il menait une vie cachée, consacrée à la recherche du bonheur, de son particulier bonheur, qui était un mélange de sensualité, de flânerie, de lecture, et il produisait très peu... D'ailleurs tu n'as qu'à regarder les dates. Guillaume a cinquante-huit ans. Que connaissait-on de lui, il y a vingt ans ? Les *Dialogues* et les *Exercices*, de la littérature difficile... Soudain il a passé au rythme d'un ou deux volumes par an... Il a obtenu, coup sur coup, la rosette, la cravate, un doctorat d'Oxford. Il aura l'Académie quand Pauline le voudra, mais elle souhaite d'abord le Prix Nobel, et cela aussi se fera... Pourquoi ce déluge d'honneurs ? Fontane était resté le même Fontane, mais Pauline orchestrait.

— Et que faisait-elle ?

— Elle déplaçait les impondérables, amenait les critiques à donner un coup de pouce aux adjectifs, persuadait la Renommée de passer, en claironnant Fontane, de la sonnerie *talent* à la sonnerie *génie*. Elle rameutait les professeurs, parmi lesquels elle conservait un prestige de famille. Elle déclenchait la Sorbonne. Elle cultivait les étrangers. Elle amenait son faible et illustre époux à écrire des articles, à voyager dans le monde entier. Ainsi, d'étape en étape, elle a fait d'une Muse une vedette.

— Tu es cruelle, Edmée, sous tes airs graves et doux. Et injuste, car Fontane n'a rien écrit

18

de vulgaire. Ce n'est pas lui qui est allé au public ; c'est le public qui est venu à lui.

— Sans doute. Ne me fais pas dire ce que je ne dis pas. Notre Guillaume n'est jamais sot ; il ne saurait pas. Mais quelque chose manque à ce qu'il écrit maintenant : le tremblement, le mystère... Ses romans sont bien faits ? Oui, peut-être. Nous touchent-ils comme ses *Exercices* ? Je ne le crois pas... Note que Pauline est loin d'être une personne médiocre. J'ai reçu des lettres d'elle ; c'est amusant, soigné, adroit. En outre elle a pour Guillaume plus que du dévouement, de la dévotion. Mais je crois qu'elle se trompe sur les véritables intérêts de son époux ; elle le pousse à sacrifier... comment dire ?... la profondeur à l'éclat. Or, telle n'est pas la nature vraie de Guillaume. Il commence à sentir que cette influence le déforme, le retire à lui-même et, quelquefois, il rue dans les brancards... Ça pourrait devenir dangereux pour elle.

— En effet, l'autre jour, dans la bibliothèque, sa femme est venue le harceler, à propos de je ne sais quel dîner, et je l'ai senti rétif.

Le visage d'Edmée laissa filtrer une lente montée de joie.

— Tant mieux ! Bravo !... Vois-tu, nous pouvons, nous autres femmes, par nos exigences et nos humeurs, pousser un homme vers un certain point de rupture, mais au voisinage de ce point, nous devons nous arrêter pile. Sinon tout casse et le ménage, vrai ou faux, s'effondre. Pauline Fontane n'en est pas encore au feu rouge, mais déjà le feu vert s'est éteint. Regarde bien maintenant ce qui va se passer.

3

Au cours des semaines qui suivirent, Hervé alla plusieurs fois chez Fontane sous des prétextes divers : livres à emprunter, conseil à demander. Il prenait à ces visites un plaisir qui n'était pas de vanité, mais d'affection. Fontane lui semblait inquiet, peut-être malheureux. Non qu'il se plaignît au jeune homme. Ses propos demeuraient ironiques, mais sa courtoisie plaisante, un peu cérémonieuse, cachait mal une lassitude, peut-être un désespoir.

Tout en s'attachant à Fontane, Marcenat devait s'avouer à soi-même quelque désappointement. Connaître Guillaume Fontane avait été pour lui, au fond de sa province, une haute ambition. Soudain il s'était vu accueillir par son dieu en ami, presque en égal. Que trouvait-il ? Un homme ironique et plaintif, un peu frivole, et qui paraissait plutôt à la recherche d'un guide que capable de guider les autres. Que croyait, au juste, Fontane ? Que pensait-il de la vie et de la mort ? Avait-il une morale ? Une politique ? Une religion ? On pouvait l'écouter pendant des heures sans en savoir davantage, car il prenait soin, dès qu'il avait fait un pas dans une direction, d'en faire aussitôt un autre en sens contraire. Ce comportement était d'ailleurs accepté par ses lecteurs,

Fontane appartenant à çe petit nombre d'élus dont les réticences sont tenues pour des énigmes, et les évasions pour des finesses.

Hervé, depuis longtemps, avait fait son deuil de l'invitation à déjeuner formulée jadis, du bout des lèvres, par Mme Fontane, et soigneusement laissée par elle sans date, quand soudain cette date se trouva fixée, non par un carton impersonnel, mais par une lettre autographe de Pauline, le priant de venir, le dimanche suivant, partager leur repas, « dans l'intimité, afin de pouvoir parler librement ».

« Et de quoi, pensa-t-il, cette femme si peu libre veut-elle parler avec tant d'audacieuse liberté ? »

Il accepta. Le maître d'hôtel aux allures de chanoine l'accueillit d'un sourire furtif et discret, qui semblait faire du visiteur un familier de la maison. Fontane le reçut, comme toujours, avec une évidente satisfaction. Mais, phénomène plus nouveau, le visage de Mme Fontane, lui aussi, parut s'éclairer à l'entrée d'Hervé. « Voilà qui est étrange, pensa-t-il. On dirait qu'elle a quelque chose à me demander. Et que puis-je, moi chétif, pour cette personne toute-puissante ? » Pourtant il ne se trompait pas ; dès que l'on fut à table, dans une salle à manger assombrie par des vitraux, elle ouvrit le feu :

— Nous vous avons prié de venir seul, cher monsieur, parce que nous avons une idée qui, croyons-nous, pourrait vous intéresser... Un éditeur anglais a écrit à mon mari qu'il se propose de publier une série de brèves biographies d'écrivains encore vivants. Il y voudrait inclure quel-

21

ques Français, dont Guillaume, et souhaiterait que ces biographies fussent écrites par de jeunes auteurs... Oui, pour confronter deux générations... ce qui est, en somme, une heureuse idée. Nous avons pensé que, si ce travail vous tentait, nous aimerions que le livre sur Guillaume vous fût confié. Vous connaissez, nous l'avons constaté, admirablement son œuvre. Pour la vie, je vous donnerai tous les renseignements nécessaires...

Fontane, qui n'avait jusque-là pris aucune part à la conversation, semblait gêné. Il leva la main :

— Tout de même, dit-il à sa femme, tout de même, il faudrait savoir si cette besogne lui plaît, à ce garçon. Il a ses propres livres à écrire. Je ne vois pas pourquoi il éprouverait le besoin de s'occuper de ma vie, et surtout de le faire sur commande.

— Oh ! la commande, dit Hervé, ne me déplaît pas. Quelques-uns de vos plus beaux textes n'ont-ils pas été écrits à l'occasion d'une commande ? Mais je me demande si un critique professionnel, connu pour tel, ne serait pas mieux qualifié pour...

— Il s'agit beaucoup moins de critique, dit vivement Mme Fontane, que d'un portrait, d'impressions reliées par une esquisse biographique... Tenez, voici comme je vois le livre...

Fontane pianotait sur la table, avec impatience :

— Ma chère, dit-il, personne ne souhaite savoir comment *vous* voyez le livre. S'il accepte de l'écrire, ce sera *son* livre, et il en fera ce qu'il voudra. Est-ce que vous prétendez... heu !... le régenter, lui aussi ?

Embarrassé par cette querelle de ménage, Hervé se fit, pour la première fois, complice de Mme

Fontane et tenta de détourner la conversation. Rien n'était plus facile que de lancer Fontane dans un long monologue, en prononçant le nom d'un de ses auteurs favoris. Hervé murmura quelques mots sur Joubert et l'orage s'éloigna, dans une douce pluie d'anecdotes et de citations.

Quand, après le déjeuner, le café eut été servi dans le salon, Pauline Fontane dit à son mari :

— Guillaume, n'oubliez pas que vous avez promis de donner ce soir, aux agences, le discours sur Ronsard ; vous n'avez que le temps.

— Bon Dieu ! oui, dit-il. Et Ronsard ! Il faut que ce soit bien... Excusez-moi, mon ami.

Hervé resta seul avec Mme Fontane ; c'était ce qu'elle voulait.

— Alors ? reprit-elle avec fermeté. Vous écrirez ce petit livre ?

— Si l'éditeur — et le modèle — le souhaitent, oui, madame. L'œuvre de M. Fontane, son influence ont joué dans ma vie un rôle si important...

— C'est ce que m'a dit votre cousine Larivière. Et vous verrez, quand vous connaîtrez mieux Guillaume, que l'homme, en lui, est aussi attachant que l'œuvre. Il n'a aucun orgueil... Pas assez, peut-être... Mais il ne s'agit pas, en ce moment, de cela... Alors c'est entendu ? Nous allons faire ce livre ensemble.

Hervé sursauta. « Ah ! non, pensa-t-il, je ne vais pas, comme dit son mari, me laisser régenter par elle ! »

Pourtant il ne protesta pas et se dit que cette illusoire collaboration serait un moyen d'entrer plus avant dans l'intimité du ménage Fontane.

4

De ce jour, en effet, il eut dans la maison ses grandes et petites entrées. Souvent, le matin, Pauline Fontane l'appelait au téléphone : « J'ai quelques papiers qui vous seront utiles ; venez à six heures. » Il la trouvait alors entourée de lettres, de manuscrits, qu'elle commentait avec une étonnante finesse d'analyse. Elle avait démonté toutes les pièces du mécanisme intellectuel et sentimental de son mari. Elle ne l'en admirait pas moins ; elle le servait fidèlement ; elle s'en servait aussi.

Très vite, Hervé comprit ce qu'elle attendait de lui. Fontane avait eu, avant de se marier, une longue liaison avec une jeune femme rencontrée au temps où il enseignait à Rennes. Ses photographies la montraient fraîche et touchante. Pauline Fontane la disait d'un esprit au-dessous du médiocre. Cette malheureuse Minnie avait tenté de se tuer lors du mariage de son amant. Sauvée par un chirurgien plus adroit que miséricordieux, elle s'était résignée.

— Et qu'est-elle devenue ? demanda Hervé à Mme Fontane.

— Elle est morte, il y a deux ans. Elle était retournée en Bretagne pour y vivre dans sa famille.

Ce que souhaitait Mme Fontane, c'était que

Marcenat, dans son petit livre, prît position contre ceux qui divisaient l'œuvre de son mari en deux parts et soutenaient que les œuvres de jeunesse, celles de la période Minnie, avaient été plus originales. Lorsque, seul avec Fontane, Hervé aborda ce sujet :

— Ah ! mon ami, dit Fontane avec mélancolie, si vous voulez le peindre, ce temps de mes débuts, il vous faudra trouver des couleurs claires et joyeuses. Je ne pensais guère alors à la méchanceté universelle, à la vanité de nos agitations, à l'inutilité de toutes choses. J'avais confiance, et d'abord en moi-même. Je savais que mes seuls désirs étaient de soigner mes adjectifs et de faire passer un air de bonheur dans les yeux d'une jeune femme. Mais aujourd'hui... L'art ? Oui, bien sûr, ça m'amuse encore ; seulement la particulière palette qui est la mienne, tout le monde maintenant la connaît, et moi comme les autres. Mes adjectifs contrastés, les pasticheurs en donnent la recette. Vous feriez du Fontane, si vous le vouliez... L'amitié ? La disgrâce et le succès, par leurs alternances, m'ont trop montré la déplorable inconstance de ceux en qui je croyais le plus.

Il était dans un de ses jours de jérémiades.

— Vous êtes ingrat, mon cher maître. S'il y a, sur cette planète, un être qui n'ait pas le droit de se plaindre... Votre femme ne vit que pour vous ; votre œuvre a chance de vous survivre ; vos amis sont les hommes les plus remarquables de ce temps. Que voulez-vous de plus ?

— Je ne veux rien, mon ami. Je trouve la vie amère et vaine, voilà tout... Enfin, tout de même !

Il me reste peut-être dix ans, quinze ans à vivre. Et comment se passent ces irremplaçables minutes ? J'écris un livre auquel je ne crois pas ; je reçois des étrangers qui ne me comprennent pas, tandis que je voudrais jouir en paix des derniers rayons du soleil, relire quelques poètes, quelques sages et retrouver le goût de vivre au contact de la jeunesse.

— Cette fois, dit Hervé, c'est moi qui ne comprends plus. Si tels sont vraiment vos désirs, rien de plus facile. N'écrivez que pour votre plaisir et, quant à la jeunesse, ne voyez-vous pas, par mon exemple, combien elle serait heureuse de vous entourer ?

— Sans doute, mon ami, sans doute... Mais je ne cherche pas de disciples, moi ; je n'ai jamais eu le désir de transformer les pensées des autres. Vous, c'est différent, vous avez la bonté d'écouter mes rêveries et mes plaintes. Seulement, parce que vous m'acceptez tel que je suis, vous ne m'arrachez pas à moi-même. Le renouvellement ne pourrait me venir que d'êtres naïfs, qui me parleraient de tout, sauf de moi... Le naturel, mon ami, un naturel presque animal, voilà de quoi je suis altéré — et sevré.

Marcenat le trouva, ce soir-là, si plaintif qu'il ne put s'empêcher, le lendemain, de décrire à Mme Fontane cet état de mélancolie et de suggérer un changement de vie.

— Ne vous inquiétez pas, dit-elle, en haussant un peu les épaules... Je l'ai toujours vu ainsi entre deux livres. Guillaume est un cyclothymique. Il a ses phases de création, qui coïncident avec des moments d'euphorie. A la minute où une œuvre s'achève, il entre dans un temps de gestation qui, au début, est douloureux. Que de fois je l'ai entendu s'écrier qu'il était vieux, las d'écrire, qu'il n'avait plus rien à dire, ou que le sujet choisi ne valait rien... J'écoute et attends... Un jour vient où le travail marche, où l'humeur s'améliore, où le pessimisme fait place à une excitation joyeuse ; la crise est finie.

Son autorité rappelait celle d'un savant psychiatre parlant de l'un de ses patients.

— Vous le connaissez mieux que moi, madame. Mais ne croyez-vous pas qu'il aurait besoin de voir d'autres milieux, des êtres plus jeunes ?

— Je comprends ! dit-elle avec amertume. Votre cousine Larivière vous a dit que je séquestre Guillaume, que je suis d'une jalousie pathologique, que je l'empêche de voir des jeunes femmes, que je nuis à son œuvre.

— Edmée ne m'a rien dit de tel.

— Si ce n'est elle, c'est donc sa sœur, ou bien quelqu'une des siennes... Oui, je sais qu'on raconte ces choses sur notre ménage. Vous verrez vous-même, en vivant plus près de nous, qu'elles sont inexactes. J'ai été jalouse au début de notre mariage, je le reconnais... Aujourd'hui Guillaume n'est plus jeune ; nous sommes mariés depuis vingt-cinq ans ; je le laisse libre de courir. S'il ne le fait pas, c'est qu'il n'en a pas le désir. Parfois il rêve, un instant, s'il reçoit une belle lettre d'étudiante ; puis il revient à sa table de travail où il trouve son vrai bonheur, et à moi, parce que je suis l'un des instruments de ce travail, quelque chose comme son stylographe ou son Littré.

Pendant la longue conversation qui suivit, Hervé la trouva sage, détendue et pensa que, tout bien pesé, son maître était en bonnes mains.

5

On voyait souvent, chez les Larivière, une jeune artiste, Wanda Nedjanine, qui faisait des portraits au crayon et qui était une camarade des fils d'Edmée. Elle s'habillait avec une simplicité qui allait à l'affectation. Edmée, si sévère en matière d'art, parlait avec respect des dessins de Wanda et prouvait sa sincérité en accrochant l'un d'eux entre son Chagall et son Dufy.

— Sérieusement, Hervé, ne trouves-tu pas que cette fille a une sorte de génie ?

— *Génie* est un mot à ménager, dit Hervé, mais qu'elle ait beaucoup de classe est certain. D'où sort-elle ?

— D'où sort Wanda ?... Je n'en sais guère plus que toi... Sa famille, des Russes blancs ou roses, s'était réfugiée à Paris au moment de la révolution. Wanda a été élevée en russe autant qu'en français, ce qui fait qu'elle a un léger accent... Les *r* un peu roulants... Depuis qu'elle travaille, elle ne vit plus avec ses parents, mais dans son atelier... C'est rue de Rennes, au fond d'une cour... J'ai été l'y voir... Sa beauté lui vaut des commandes... Le patron de François, Larraque, a posé pour elle et Dieu sait pourtant qu'il manque de patience ! Je ne crois pas qu'elle accorde grand-chose à ses admirateurs... En politique, malgré ses origines, elle est, me disent mes fils, très « avancée »... A la vérité, je crois sa révolte plus sentimentale qu'idéologique, mais qu'elle nous haïsse tous, ça, j'en suis certaine.

Hervé obtint confirmation de ce diagnostic quelques jours plus tard. Ayant trouvé Wanda fort silencieuse au cours d'une discussion entre Edmée et les amies de celle-ci, sur les difficultés de la vie dans le monde moderne, il était allé s'asseoir à côté d'elle et avait demandé :

— Vous ne dites rien ?

— Que voulez-vous que je dise ? Je ne veux pas les insulter. Mais comment une Edmée Larivière ose-t-elle parler des « difficultés de la vie » ? Elle sait qu'en donnant une signature au bas d'un chèque, elle sera nourrie, vêtue, ornée ; elle croit que, pour se transporter d'un point à un autre, il suffit d'entrer dans une longue voiture blanche que l'on trouve devant sa porte, ou d'appuyer sur un bouton d'ascenseur... Sa vie est une suite de miracles... Il lui manque, pour comprendre, d'avoir attendu l'autobus sous la pluie ; monté six étages à pied ; compté et recompté les derniers francs qui restent, le 25 du mois...

Elle avait prononcé cette tirade à mi-voix, les yeux étincelants de colère.

— Vous avez raison, dit Hervé. Mais vous-même ne semblez pas, dans le domaine du temporel, réussir trop mal ?

— Depuis un an, ça va mieux, avoua-t-elle. J'avais eu deux années terribles... A se tuer...

Maintenant j'ai l'air d'être portée par le courant du snobisme... Il faut en profiter. Ça passera.

Hervé la regarda. Elle avait les plus beaux traits du monde. Des bandeaux noirs en soulignaient la régulière pureté. Il eut une idée. L'éditeur anglais avait demandé, pour le frontispice du petit livre, un portrait de Fontane. Pourquoi ne le commanderait-on pas à Wanda ?

— Guillaume Fontane ? dit-elle. Oui, je sais qu'il est connu, mais je n'ai pas lu deux lignes de lui. Vous croyez que c'est bien ? J'ai l'impression que ça doit faire terriblement pompier.

— Vous vous moquez du snobisme, dit-il, et vous êtes en train d'y succomber. Fontane n'est plus aussi à la mode que jadis, dans vos petites chapelles, parce qu'on l'y a si longtemps encensé que la seule manière neuve de parler de lui semble être d'en dire du mal. Mais, moi, je *sais*, et vous sauriez si vous le lisiez, qu'il fait partie du patrimoine français, comme Chateaubriand, comme Flaubert...

— Je ne suis pas française et je n'aime ni Chateaubriand ni Flaubert.

— Qu'est-ce que vous aimez ?

— J'aime les gens de mon pays : Pouchkine, Gogol, Dostoïevsky, Tchékov... Chez vous ?... J'aime assez Proust.

— C'est un bon choix, mais Proust admirait Chateaubriand... et Flaubert.

Elle secoua la tête :

— Peut-être... Au fond, je n'aime pas vraiment Proust. Il est, lui aussi, quelqu'un pour qui la vie commence boulevard Malesherbes. D'ailleurs mes goûts n'ont, en cette affaire, aucune importance.

Il n'est pas nécessaire d'admirer un homme pour faire son portrait. Arrangez ça, Hervé, je serai très contente.

— Il y aura une difficulté : vous êtes un peu trop belle. Mme Fontane va s'inquiéter... Ecoutez, elle reçoit tous les dimanches. Venez avec moi chez eux.

Un visage nouveau surprenait, dans ce milieu fermé, comme un chien inconnu dans les rues de Combray. Wanda y suscita un mouvement de curiosité. Alexis regarda le chandail noir, que soulevait une poitrine altière, avec une muette désapprobation. Mais Pauline Fontane accueillit bien la jeune fille. La biographie anglaise lui tenait à cœur et Edmée avait préparé le terrain, en lui montrant des croquis faits par Wanda.

— Je les trouve excellents, avait dit Mme Fontane. Votre amie dessine avec justesse, avec scrupule... Je ne la crois pas femme à déformer ridiculement le visage de Guillaume, comme ils font tous, pour assurer leur propre gloire... C'est une *très* bonne idée.

Il fut convenu, dès cette première visite, que Wanda ferait le portrait à Neuilly, dans le bureau de Fontane, afin de ne pas interrompre le travail du modèle. Quinze jours plus tard, rencontrant Hervé chez Edmée Larivière, elle le remercia :

— Vous savez, c'est un fameux chopin que vous m'avez trouvé là... D'abord il est un chou ; il me dit des choses charmantes. Il pose bien, avec une timidité qui m'amuse... Et puis vous n'imaginez pas le prestige qu'il a, même parmi mes camarades.

— Je l'imagine aisément ; je vous l'avais annoncé.

— Oui, je sais... Seulement je me méfiais de votre goût, mon petit Hervé... Mais Bob et Bobby, mes deux amis, qui sont tout ce qu'il y a de plus à la page, ont poussé des cris d'enthousiasme : « C'est un gros poisson que tu ramènes là, Wanda, m'ont-ils dit, ne le laisse pas échapper. »

— Essaie-t-il de s'échapper ? demanda Hervé. Cela m'étonnerait.

— Pour être franche, dit-elle, ça m'étonnerait aussi.

Elle rit, avec un peu de cruauté. Il remarqua qu'elle avait un cou puissant, qui détonnait avec la finesse du visage.

6

Un lundi matin, Pauline Fontane appela Hervé au téléphone. Le fait n'avait rien de surprenant ; le son de la voix surprit le jeune homme. Cette femme forte semblait agitée, inquiète.

— On ne vous a pas vu hier, dit-elle. Guillaume n'est pas bien du tout. Il a de la fièvre et le médecin, qui vient de partir, parle d'un point pleurétique... Vendredi, il toussait déjà. Hier soir, dimanche, par cet affreux temps, il a voulu sortir à tout prix, pour dîner à Montparnasse, avec je ne sais quel éditeur étranger. Il n'a pas pris la voiture sous prétexte que c'était dimanche, et a dû errer sous la pluie, sans trouver de taxi, si bien qu'il est rentré fort malade. Le voici au lit pour huit jours, par sa faute. '

— Vous êtes certaine, madame, que ce n'est pas grave ?

— Oh ! tout à fait, le Dr Gaulin me l'a juré. Il a même autorisé Guillaume à vous recevoir, et c'est la raison pour laquelle je vous ai appelé... Guillaume tenait beaucoup à ce que vous veniez dès aujourd'hui. Il aurait été plus raisonnable d'attendre un jour ou deux, mais quand mon mari s'est mis une idée en tête...

— Je viendrai vers midi, madame. C'est très facile.

Hervé la trouva dans la bibliothèque. Elle avait ouvert le courrier et répondait aux lettres urgentes, de sa belle écriture ronde et masculine.

— Ah ! dit-elle, je suis bien contente de vous voir. Il a déjà fait demander trois fois si vous étiez arrivé... Il se conduit comme un enfant... Guillaume est un très mauvais malade... Venez !

Elle le fit monter au premier étage, qu'il n'avait jamais vu. Il regarda, en traversant le vestibule, les fameux Watteau de la collection Boersch.

— Passons par ma chambre, dit-elle.

Des amours joufflus et dorés soutenaient, des deux côtés d'un vaste lit Régence, des rideaux de brocart. Aux murs, un Boucher insolemment rose et un portrait de Fontane. Le cabinet de toilette, pavé de mosaïque, boisé de treillages en losange, rayonnait de flacons en cristal taillé, aux lourds bouchons d'argent. La baignoire, harnachée d'une

2

housse à volants, parut à Hervé fort ridicule. Mme Fontane frappa à une porte et l'ouvrit.

— Le voici ! dit-elle à son mari.

Fontane était en pyjama blanc, décoiffé par ses oreillers et mal rasé.

— Bonjour, mon bon ami, dit-il en toussant. Que vous êtes aimable d'avoir pris cette peine... Asseyez-vous près de mon lit... Pauline, donnez-lui un siège et laissez-nous.

Elle fit asseoir Hervé, puis s'accouda au pied du lit.

— Qu'allez-vous manger, Guillaume ? demanda-t-elle. Gaulin dit que...

Il s'agita impatiemment :

— Nous parlerons de cela plus tard ! Pour le moment, je vous prie de nous laisser.

Sur quoi il eut une pénible quinte. Pauline Fontane, blessée, n'insista pas.

— Si je suis de trop... dit-elle.

Elle sortit par le cabinet de toilette, en laissant la porte entrebâillée. Hervé eut l'impression qu'elle était restée dans la pièce voisine. Il faillit se lever, pour fermer la porte sous tenture, mais pensa que, si Mme Fontane était là, ce mouvement paraîtrait discourtois et suspect. Guillaume Fontane, qui n'avait pas remarqué son embarras, lui fit signe de venir plus près. La fièvre, ou quelque sentiment vif, l'animait et son visage était trop rouge.

— Plus près, mon ami, dit-il à mi-voix... Plus près... Il faut que vous me rendiez un grand service... J'avais rendez-vous, cet après-midi, avec notre Wanda... Oui, j'ai trouvé cette jeune fille intéressante, intelligente, et je la revois de temps à autre... Je devais prendre aujourd'hui le thé dans son atelier. Naturellement, je ne puis y aller. Il faut la prévenir.... Comment faire ?

— Où est la difficulté ? dit Hervé. Mme Fontane ne sait-elle pas ?...

— Non, bien sûr, elle ne sait rien ! Pas plus qu'elle ne sait qu'hier soir, c'était avec Wanda que je dînais. Notez que je lui aurais conté tout cela, qui semble assez innocent, si Pauline était une autre femme, mais vous ne la connaissez pas...

Marcenat vit que la fièvre allait amener Fontane à trop parler et il tenta de mettre fin à des confidences qui pouvaient être épiées.

— C'est entendu, mon cher maître. En sortant d'ici, je donnerai un coup de téléphone.

— Merci, mon ami... Ce n'est pas tout... Demain sera l'anniversaire de cette enfant et j'avais acheté, pour elle, un petit dessin de Picasso. Je devais le prendre aujourd'hui à la galerie Ezcc, vous savez, rue de Seine, derrière l'Institut... Pourriez-vous y passer et vous charger de remettre vous-même le dessin à Wanda ?... Je vais vous faire un chèque... Donnez-moi le carnet qui est dans la commode, tiroir du haut, et le stylo que vous trouverez sur ma table.

Hervé se leva et, par la porte entrouverte, entrevit un pan de robe noire. Pauline Fontane était bien là. En revenant s'asseoir près du malade, il mit un doigt sur ses lèvres, d'un air qu'il voulait mystérieux, mais Fontane ne comprit pas.

— Alors voici, dit-il, je fais le chèque à votre

nom, pour éviter les questions. Vous l'endosserez, comme ils disent... Je sais que cela ne vous ennuiera pas d'aller voir notre charmante Wanda... Ah ! mon ami, vous ne savez pas ce que c'est pour moi que de retrouver, à mon âge, un plaisir... heu !... authentique. Regarder cette fille, la voir vivre, l'écouter... La semaine dernière (une quinte de toux l'interrompit)... j'ai écrit là-dessus un poème. Cela ne m'était pas arrivé depuis des lustres... Une sorte d'*Elégie de Marienbad*... Je vous la lirai quand je serai mieux, mais je ne la publierai pas, naturellement. *« Ce livre est pour les bons et non pour les méchants. »* Ah ! notre Gœthe, tout de même, il eut bien de la chance ! J'aimerais à relire sa correspondance avec Bettina... Il avait soixante-dix ans ; Bettina, dix-neuf... Ce fut pour lui un extraordinaire rajeunissement d'esprit... Mais il était Gœthe et un homme libre... Moi, je suis un esclave.

— Que vous exagérez, mon cher maître !

— Non, mon ami, non... Vous ne savez pas ce qu'est Mme Fontane ! Ne croyez pas que je méconnaisse ses grandes vertus. Elle m'a tout donné ; elle n'a vécu que pour moi ; il est naturel qu'elle exige beaucoup. Elle a charmé toute une part de ma vie. Seulement, ses effets bienfaisants sont épuisés... N'oubliez jamais ceci, mon ami : un homme marié n'évolue plus suivant les lois de son être. Il n'a le droit de changer, donc de vivre, que s'il peut entraîner dans le changement cette autre moitié qui s'accroche à ses pensées...

Il toussa, cracha, haleta.

— Ne parlez pas tant, dit Hervé, vous vous rendez plus malade et d'ailleurs...

— Attendez... Encore un mot... Tout ceci sera un jour utile pour vous. Pensez à notre époque... Elle va vers un complet bouleversement. La classe à laquelle nous appartenons, Pauline et moi, est aussi condamnée que l'était la noblesse en 1788... Mais oui ; je ne dis pas que ce soit un bien ; je constate un fait... Rester jeune, ce serait continuer à sentir avec la jeunesse de son temps. Accepter le présent, ce n'est pas renier le passé, c'est créer ce qui sera demain le passé d'un monde neuf... Eh bien, je me sentirais capable de le faire... Oui, vraiment... Qui, moins que moi, tient aux honneurs, aux richesses, aux situations acquises ?... Qu'est-ce que je demande ? Une cellule blanchie à la chaux, un matelas sur le sol, de l'eau fraîche et des fruits. Je suis mûr pour devenir un ascète, mon ami, ou un prophète... Mais je reste ligoté au squelette d'une société par les colliers de perles de ma femme et par les cordons, rouges ou bleus, dont elle a pris soin de me garrotter. Je n'ai jamais eu aucune ambition, moi ! Mais cette femme... Ah ! cette femme... à la fois intelligente, adroite, fidèle, orgueilleuse, obstinée... Elle s'est servie de moi pour atteindre le sommet... Le sommet de quoi ? Qu'y trouve-t-elle ? Le public de ses dimanches, qu'elle croit brillant parce qu'il est fait d'hommes arrivés... Arrivés, oui, mais comme disait l'autre, dans quel état ?... Les sommets !... Les sommets sont déserts, glacés, couverts de neiges éternelles... Si je ne m'en arrache, je suis un homme perdu.

— Si tel est votre sentiment, mon cher maître, changez de milieu... Au besoin partez, comme Tosltoï ; cela aurait de la grandeur.

— Je ne peux pas, mon ami. Sous quel prétexte ? Pauline est parfaite, irréprochable...

— Certes, dit Hervé avec quelque impatience, Mme Fontane ne mérite rien de tel. Seulement elle mérite moins encore que vous empoisonniez sa vie par vos humeurs.

Le jeune homme se leva et regarda une fois encore, avec inquiétude, vers la porte.

— Vous me quittez ? dit Fontane. Soit ! N'oubliez rien... Le coup de téléphone, la galerie Ezec... Adieu, mon ami... Revenez !

Sur le palier, Hervé trouva Mme Fontane qui le reçut d'un regard fixe, autoritaire et tragique.

— Avant de partir, dit-elle, suivez-moi.

7

Elle descendit devant lui l'escalier, sans un mot, puis alla vers une pièce du rez-de-chaussée, plus petite que le cabinet de travail de Fontane, et où elle avait coutume de se tenir. Les murs étaient couverts de photographies, qui montraient le couple Fontane dans tous les décors du monde : devant les Pyramides ; à Tolède ; à Florence ; à Oxford, avec Fontane en robe de docteur ; dans le cimetière d'Eyoub ; à Weimar. Les plus vieilles des épreuves étaient devenues jaunâtres, mais on y devinait une Pauline mince et jeune, au visage fin sous une coiffure démodée. Sur les clichés récents, plus nets, Pauline s'alourdissait un peu tandis que Fontane, assez ridicule à trente ans dans ses vestons trop courts, acquérait avec les années les traits aujourd'hui consacrés et des vêtements bien coupés.

Plusieurs fois déjà, lorsque Mme Fontane l'avait admis dans ce sanctuaire, Hervé Marcenat avait goûté, mélancoliquement, la pathétique synthèse de ces deux vies. Ce jour-là, il ne put prêter attention qu'au visage livide et décomposé de la femme qui était devant lui. Elle se laissa tomber sur un étrange fauteuil gothique :

— J'ai tout entendu, dit-elle.

— Je le savais, madame, et... si vous me permettez une respectueuse observation...

— Ah ! non, je vous en prie... Je savais, moi aussi, que vous saviez... Et j'ai mesuré vos craintes à la prudence de vos réponses... Peut-être ne le croirez-vous pas, mais je n'avais pas la moindre intention, en vous laissant chez Guillaume, d'écouter cette conversation... J'étais restée dans mon cabinet de toilette pour ranger des médicaments que l'on venait d'apporter... Quand j'ai perçu les premiers mots de cette incroyable confession, j'ai perdu la tête ; j'ai pensé que je ferais du bruit en ouvrant la porte de ma chambre, que Guillaume découvrirait ma présence, qu'il se mettrait en colère... Bref je n'ai pas osé bouger... Sait-on pourquoi et comment on agit, en de tels moments ? Le fait est là : j'ai tout entendu et vous imaginez quel choc ce fut pour moi.

Elle tremblait ; son nez à large arête semblait soudain de cire. Hervé la plaignait de tout cœur mais pensait que si, en ce conflit, il avait un devoir de loyalisme, c'était envers son maître.

— Tout cela est déplorable, madame. Seulement la faute...

Les deux mains de Pauline s'accrochèrent au bras du jeune homme avec un désespoir de mourante.

— Il s'agit bien de responsabilité ! cria-t-elle. C'est pour lui que je lutte, non pour moi. Qu'il sorte ou non avec une fille dont il pourrait être le père, que m'importe ? S'il me l'avait dit, croyez-vous que je m'y serais opposée ? J'ai été jalouse, oui, sauvagement... Je ne le suis plus !

— S'il en est vraiment ainsi, madame, je ne comprends pas votre émoi. Puisque vous étiez prête à tolérer...

— J'étais prête à tolérer la sensualité d'un homme vieillissant, non le reniement par lui de notre ménage ! Ce qui m'a bouleversée, c'est le portrait qu'il vous a fait de moi, celui d'une ambitieuse qui se serait servie de lui, pour atteindre je ne sais quels sommets... Il a donc tout oublié !... Quand j'ai connu Guillaume, il était un obscur petit professeur, qui écrivait sans doute, et fort bien, mais ne trouvait aucune audience... Croyez-vous que je me serais attachée à un tel homme si j'avais été une ambitieuse ? Ambitieuse de quoi ? J'avais tout. J'étais jeune et libre. Je recevais chez moi ce qu'il y avait de plus brillant dans la politique et dans les lettres... Quel besoin avais-je du petit Fontane, professeur de seconde et auteur d'un volume d'essais invendus ?... Mais je l'aimais et, loin de *m'accrocher* à lui, j'ai mis à son service tout ce que je possédais de crédit, de puissance. Je suis devenue sa maîtresse avant de savoir qu'il m'épouserait, ce qui, pour une femme élevée comme je l'avais été, était la plus grande preuve d'amour, comme c'en est une encore de vous l'avouer... Et lui aussi m'aimait... Il s'en souvient à peine, mais je puis vous montrer les lettres qu'il m'écrivait alors...

Elle se pencha, frémissante, vers un des tiroirs de la table. Dans ce mouvement, ses lourds cheveux se dénouèrent dans une débâcle de peignes d'écaille. Nul n'aurait pu reconnaître, en cette folle hagarde, la superbe, la hautaine Mme Fontane.

— Mes clefs ? murmura-t-elle, où sont mes clefs ?... Je ne vois plus rien.

— Elles sont dans la serrure gauche, madame, mais il est bien inutile...

— Inutile ! Ah ! non... Vous avez entendu le réquisitoire ; vous avez le devoir d'écouter l'accusée.

Elle tira d'un carton un paquet de lettres, enrubanné. Hervé reconnut l'écriture de Fontane, inclinée, gracieuse et délibérément archaïque. Pauline essaya de dénouer le ruban.

— Ah ! je ne peux pas... Tenez, monsieur, lisez...

Hervé, gêné, parcourut quelques lettres avec émotion. C'étaient les effusions, banales et sublimes comme l'amour lui-même, d'un homme qui vient de trouver enfin une maîtresse et une inspiratrice.

Pauline Fontane regardait le jeune homme d'un air suppliant et interrogateur. Il eut honte de lire, devant elle, ces lettres intimes et lui rendit la liasse. Elle semblait un peu apaisée et ne tremblait plus. Elle se leva, se regarda dans un miroir et dit :

— Quelle horreur ! Mes cheveux !... Je vous demande pardon.

Elle les rassembla, les tordit et replanta les peignes.

— Peut-être, dit-elle, Guillaume, quand il est lui-même, reconnaît-il ce qu'a été ce passé. Quant au présent, il feint de croire que je l'empêche de comprendre son temps ! Grief tout imaginaire et il le sait bien... Prétexte vertueux, parce qu'il a envie de caresser une fille jeune... Conservatrice, moi ? Réactionnaire ? Mais quelle folie ! La politique m'ennuie... Si je pensais que Guillaume serait plus heureux en menant une vie modeste et cachée, je fuirais avec lui loin de Paris... Il ne désire rien de tel... Il vous a dit qu'il se contenterait d'une « *cellule blanchie à la chaux* » ! C'est un de ses thèmes favoris, mais ce n'est pas vrai... Il a besoin d'avoir, autour de lui, tous ses livres ; une maison encombrée de bibliothèques ne s'entretient pas toute seule... Il aime à retenir, pour le dîner, ses visiteurs du soir ; un repas ne s'improvise pas. Les hommes connaissent aussi peu les mystères de la cuisine que les passagers d'un navire ceux de la soute à charbon... Je suis, moi, le capitaine responsable... Soyez franc... Ce besoin de dépouillement, ce mépris du succès, cette humilité toute verbale, ne sont-ils pas, chez lui, des mensonges ?

— Je ne sais pas, madame. En tout cas, ces mensonges sont inconscients... Il croit de bonne foi...

Elle était maintenant calme et la Gorgone au chef hérissé avait de nouveau fait place à Mme Fontane.

— De bonne foi ? Ce n'est pas sûr... Tenez, il se plaint de mes dimanches, mais il *aime* à y retrouver ses amis, à y briller... Et d'ailleurs cette jeune fille, que fait-elle à Montparnasse, sinon organiser autour de lui des réunions de même nature ?... Oui, j'ai su par Dominique, le fils d'Edmée, que cette vierge folle a donné, la semaine dernière, dans son atelier, un cocktail Fontane !... Ses amis boivent du gin et non du thé ? Ils lisent Lautréamont plus que Baudelaire ? Question de dates... Ces modes-là aussi passeront.

A ce moment des coups de sonnette, impatients et prolongés, déchirèrent la maison.

— Guillaume appelle, dit-elle en soupirant. Je vais voir ce qu'il veut... Allez, remplissez votre mission... Et vérifiez qu'il a bien signé son chèque... Il oublie souvent et ça fait ensuite mille histoires.

8

La vieille Mme Ezec sourit quand Marcenat lui remit le chèque.

— Ah ! M. Fontane ! dit-elle, on lui en fait voir du pays à celui-là !

Porteur de dessin, Hervé gagna la rue de Rennes. Wanda vint ouvrir la porte, vêtue d'un pantalon gris et d'un chemisier rouge qui encadrait son beau visage et lui donnait l'aspect de quelque Shelley androgyne.

— Ce n'est que moi, Wanda... Comme je vous l'ai dit au téléphone, notre ami est au lit... Il vous prie d'accepter, pour votre anniversaire, ce dessin.

— Oh ! dit-elle, je parie que c'est le Picasso de la mère Ezec ? C'est trop gentil... Mais entrez donc, Hervé ; mettez votre pardessus n'importe où, sur la rampe ou par terre, et asseyez-vous... Oui, c'est le Picasso... Quel chou que Guillaume ! Je suis désolée qu'il soit malade... Ce n'est pas une maladie imposée par son épouse, au moins ?

— Je vous jure, Wanda, que je l'ai vu tremblant de fièvre, toussant à fendre l'âme et furieux d'être privé de sa rencontre avec vous... Mais puisque vous avez, la première, parlé de Mme Fontane, je dois vous dire un mot de cette situation.

— De quelle situation ?

— De celle que vous avez créée en vous jetant entre les deux moitiés de ce couple... Si, chère Wanda, si !... Que vous l'ayez voulu ou non, vous avez déclenché là un drame... Ce matin, Pauline Fontane s'est, à la lettre, effondrée devant moi, tout en larmes, parce qu'elle avait entendu, de la chambre voisine, quelques-uns des propos que me tenait son mari.

— Quels propos ? Vous êtes bizarre aujourd'hui, Hervé ; vous devenez incohérent, sibyllin... Dites clairement ce que vous avez à dire !... *Quels* propos vous avait tenus Guillaume ?

— Des plaintes sur sa vie conjugale, sur son ignorance de notre temps, votre éloge; enfin mille choses qui, pour sa femme, étaient pénibles à entendre.

— Voilà son châtiment pour écouter aux portes.

— Non, sérieusement... Je vous assure qu'elle m'a touché.

Wanda, d'un geste délibéré, alluma une cigarette :

— Et alors ? Où voulez-vous en venir ? dit-elle.

— C'est plutôt moi qui devrais demander où *vous* voulez en venir. Qu'attendez-vous de cette conquête ? Vous n'avez pas le désir, vous jeune et belle, de faire divorcer Guillaume Fontane, presque sexagénaire, et de l'épouser ?

— Vous savez que je suis hostile au mariage. Plus indépendante on ne fait pas.

— Vous ne voulez tout de même pas le prendre pour amant ?

— Mon petit Hervé, je vais vous dire une chose qui vous étonnera : je n'ai *aucun* plan. Vous me demandez ce que je compte faire de cette conquête ? Je n'en sais rien... D'abord je ne croyais pas que ce fût une conquête... Je savais que Fontane me trouvait bien, oui, et qu'il avait plaisir à me voir. Je n'aurais pas cru que cela pût alarmer sa femme. Si, comme vous le dites, c'est une vraie touche, alors je m'en félicite.

— Enfin, Wanda, vous ne pouvez l'aimer !

— Aimer ? dit-elle. Quel mot vague ! Il mêle tout : une bagarre bestiale, une tendresse, une maladie... Et pourquoi ne pourrais-je aimer Guillaume ? Vous ne le connaissez pas. Seul avec moi, il est adorable... Il rit, il me dit mille choses aimables... Nous allons déjeuner ensemble à la campagne ; nous dînons, à Paris, dans des bistrots... Pauvre Guillaume ! Il cherche des prétextes, naïfs et transparents, pour se rapprocher de moi, pour me prendre le bras, la taille... C'est trop gentil. Et puis il a un côté joueur, enfantin, une manière de s'étendre sur mon divan en disant : « Amusez-moi », qui est touchante... Si peu que je lui donne, il est ému, reconnaissant... Surtout je crois que j'ai de l'influence sur lui. Au début, je lui ai dit que je détestais les idées de son monde. Il m'a répondu que ce n'était pas *son* monde. Ayant découvert que j'ai des passions politiques, il essaie de me séduire par-là... Dans une certaine mesure, il y réussit... Sérieusement, vous vous rendez compte, Hervé, du formidable effet que ça ferait, au moment des élections, si un type comme Fontane s'expliquait soudain sur des problèmes qu'il a jusqu'alors ignorés... Ce serait sen-sa-tion-nel... Voilà ce que je vais essayer d'obtenir et, si sa femme se met sur mon chemin, elle sera écrasée.

— Vous voulez dire que vous iriez jusqu'à lui enlever son mari ?

— Si je le pouvais, oui, sans aucun doute.

— Ce serait un crime. Vous la tueriez aussi sûrement que d'un coup de revolver.

Elle eut un mouvement d'impatience :

— Un crime ? Mais y a-t-il au monde chose plus sinistre qu'un vieux ménage ? Philémon et Baucis m'ont toujours soulevé le cœur ! A partir du moment où ils n'ont plus, l'un de l'autre, un désir « authentique », comme dirait le pauvre Guillaume, deux époux devraient se séparer... Tenez, je rencontre chaque matin un couple qui habite cette maison... Ils vont, depuis quarante ans, me dit la concierge, faire ensemble leur promenade quotidienne !... Eh bien, je vous le dis, Hervé, ces deux êtres croulants, déchus, qui se traînent à petits pas sans dire un mot, c'est à vomir.

— Serait-ce mieux si chacun d'eux était seul ? Et d'ailleurs les Fontane ne sont ni croulants ni déchus... Loin de là... Vraiment, vous n'êtes pas humaine, Wanda.

— Au contraire ! Moi, je suis humaine et vous êtes conventionnel. Je suis russe, très cher, j'ai un besoin congénital de franchise. Vous autres, Français, vous êtes tous des refoulés. Vous vous masquez à vous-mêmes vos sentiments, vos désirs... Mais oui !... Jusqu'à votre dernier soupir, vous faites des économies pour vos vieux jours ! Puis, un soir d'agonie, vous découvrez que vous avez été dupes, que vous n'avez pas vécu, et il est trop tard ; vous êtes finis... Voilà de quoi je voudrais sauver Guillaume.

— En tuant sa femme ?

Elle se pencha sur lui et le regarda dans les yeux, d'un air de défi amusé :

— Je suis dure, mon petit Hervé. Ne croyez pas que j'hésiterais à faire du mal à un être, pour moi insignifiant, si je savais que par-là un but plus important peut être atteint. A quoi pensez-vous ?

— Je pense que vous avez dû, dans votre vie, beaucoup souffrir... La dureté, c'est presque toujours une revanche... Il me semble...

Elle rit :

— Hervé Marcenat ou le petit confesseur !... Oui, mon cher, j'ai beaucoup souffert... Ah ! je vous jure qu'il n'a fallu être ni sensible ni lâche.

— Et maintenant ?

— Maintenant ?... Comme il est impatient, cet

Hervé ! Il veut savoir la fin d'une histoire qui commence à peine... Vous verrez... *Nous* verrons... Je ne sais pas la suite plus que vous... En attendant, voulez-vous une tasse de thé ? J'avais acheté un cake pour Guillaume... Faute du maître, nourrissons le disciple... Ça passera dans les frais généraux de l'entreprise.

Tandis qu'elle faisait bouillir l'eau dans sa minuscule cuisine, Hervé, maniaque, examina les livres de Wanda. Elle possédait les grands Russes, des traductions de Hemingway, de Faulkner ; Gœthe en allemand ; Rimbaud, Lautréamont, Malraux, Sartre et, au bout du rang, cinq volumes de Fontane, tout neufs. Il les ouvrit ; quelques pages seulement étaient coupées. Elle revint.

Ils prirent le thé.

6

Les journaux illustrés publièrent le portrait de Fontane par Wanda. Lui-même s'était laissé photographier devant son effigie. Les uns trouvaient cette liaison amusante, les autres ridicule. Mme Fontane, fort souffrante, disait-on, ne sortait plus avec son mari et ne répondait plus au téléphone. Sans nouvelles des Fontane depuis trois semaines, Hervé Marcenat alla rue de la Ferme, où Alexis l'accueillit avec une onction triste.

— Monsieur trouvera la maison bien changée. Madame ne va pas du tout.

Reçu par Fontane, le jeune homme annonça

qu'il avait à peu près terminé le petit livre destiné à l'Angleterre.

— Ah ! mon ami ! Qu'importe ? Il ne s'agit plus de ça... Pauline me donne bien du tourment. Gaulin lui-même ne sait pas ce qu'elle a. Vous me direz que les médecins ne le savent jamais et que personne ne comprend rien à rien, mais tout de même, les hommes de l'art ont coutume de classer nos maux dans des compartiments étiquetés, ce qui est en soi rassurant. Nommer les démons, c'est déjà... heu !... les conjurer. Or, des maux de ma femme, l'identification même semble impossible.

— C'est étrange. Qu'éprouve-t-elle ?

— Comment vous le décrirais-je ? Chaque matin, elle se lève et tente de s'habiller. La tête lui tourne et elle s'étend sur son lit, où elle reste tout le jour. Veut-elle manger qu'elle a aussitôt des nausées. J'ai fait préparer pour elle les nourritures les plus fines, que jadis elle aimait. Elle ne supporte rien et maigrit à vue d'œil... Cela est bizarre et déplorable.

Il paraissait sincèrement malheureux et dans un profond désarroi.

— Et votre travail ? dit Hervé.

— Ne m'en parlez pas ! Je suis une âme faible. Privé de cette volonté qui m'aiguillonnait, je ne fais plus rien... Je muse tout le jour, parmi mes auteurs favoris... Puis le soir, pour oublier ma tristesse, je me laisse aller à courir les restaurants, voire les théâtres, et notre jeune amie Wanda, qui a pitié de ma solitude, veut bien m'accompagner.

— Mme Fontane le sait ?

— Non par moi, certes, mon ami !... Je ne lui en parle jamais et j'espère que d'autres n'ont pas la cruauté de le lui dire. D'ailleurs elle ne reçoit personne.

Quand Hervé répéta cette conversation à Edmée Larivière, celle-ci blâma les deux femmes :

— Je plains Pauline, dit-elle de sa voix nette, mais elle récolte ce qu'elle a semé. Elle a voulu tenir son mari en laisse ; elle a suscité un besoin d'évasion. Avec un peu d'indulgence et d'humour, elle aurait sauvé l'essentiel. Pour avoir voulu tout garder, elle risque aujourd'hui de tout perdre. Elle le sent et joue la carte de la maladie afin d'obtenir, de la pitié, ce qu'elle n'attend plus de l'affection.

— Mais enfin, Edmée, Mme Fontane ne joue aucune comédie !... Elle est soignée par Gaulin qui n'est ni un charlatan ni un complaisant, et qui se dit très inquiet... Il la croit dangereusement malade.

— Je le crois aussi. « *Mme de Dino a pris le parti d'aller bien et de se remettre* », disait Talleyrand. Mme Fontane a pris le parti d'aller mal et de se démettre. Les femmes sont « authentiquement » malades, comme dirait Guillaume, quand elles le veulent. Elles sont mêmes capables de mourir par orgueil.

— Pourquoi ne pas dire : *par amour ?*

— Ce n'est pas contradictoire... Quant à l'autre, la petite Wanda, celle-là est dure comme une barre d'acier. Elle pense que Fontane peut la servir... Elle aurait préféré un homme plus jeune, mais le hasard lui a distribué Fontane. Très bien !

elle joue atout Fontane, et rien ne la détournera de ce jeu... Enfin nous n'y pouvons rien... Cela dit, je suis contente que tu sois venu me parler de ça, parce que je voulais te soumettre un problème assez délicat... Bertier, tu sais, le journaliste avec lequel tu as déjeuné ici, souhaite rencontrer Fontane. Moi, je désire être agréable à Bertier qui se montre toujours très convenable pour la maison dans ses papiers. Or, voici ce qui se passe : depuis que Pauline ne sort plus, Guillaume, subjugué par sa jeune beauté, n'accepte ni déjeuner ni dîner, si l'on n'invite en même temps sa bien-aimée... Je trouve ça de très mauvais goût... C'est ainsi... J'ai essayé de l'avoir sans elle ; il a trouvé une excuse invraisemblable. Et pourtant Dieu sait s'il avait de l'affection pour moi ! Toutes ses amies : Hélène de Thianges, Claire Ménétrier, Isabelle Schmitt se sont heurtées au même refus. Au contraire Denise Holmann, qui a capitulé et passe par la rue de Rennes, a eu le couple trois fois en un mois !... J'ai désapprouvé, mais quoi ? Guillaume est ce qu'il est... D'ailleurs je ne demande, moi, qu'à recevoir cette petite ; elle a du talent, un avenir certain... Seulement il y a Pauline qui, si elle l'apprenait, ne me le pardonnerait jamais et, au fond, n'aurait pas tort. Je trouve déloyal de profiter de sa maladie pour inviter son mari avec une autre. Quoi ?... Qu'est-ce que tu en penses ?

— Je pense comme toi que ce serait peu amical pour Mme Fontane ; seulement j'ai peur que tu ne le fasses.

— Tu te formes ! dit-elle en riant. Veux-tu venir déjeuner mardi avec Fontane, Wanda et Bertier ?

— Ta décision était déjà prise ? Alors pourquoi me demander mon avis ?

— Parce que, si ta réaction avait été trop violente, je ne t'aurais pas mis dans le coup, mais cette réaction a été plus que modérée ; je ne sais si tu t'en es rendu compte ?

— Ecoute, Edmée, que veux-tu que je fasse ? Vous capitulez tous... Et puis la situation est complexe. Si je ne connaissais *que* Mme Fontane, je refuserais de voir l'autre. Mais Wanda est une amie, elle aussi. Comment prendre parti ?

— Mon petit Hervé, quand on veut justifier une mauvaise action, on trouve toujours de bons arguments. Moi, je pense qu'il est plus honnête de regarder en face notre lâcheté. C'est ce que je fais.

Hervé se rebiffa :

— Il n'y a pas de lâcheté. Après tout, Guillaume Fontane est, dans le ménage, celui des deux qui compte le plus pour moi.

Elle rit :

— Ces hommes ! dit-elle... Aucun réalisme.

Pendant le repas, Wanda parla peu mais, chaque fois, pour marquer par un « *nous* » péremptoire ses droits sur Fontane :

— *Nous* avons été dîner place du Tertre... *Nous* irons, demain, voir les tableaux de la collection Komaroff...

Hervé demanda quand s'ouvrirait l'exposition de portraits qu'elle devait faire à la galerie Ezec.

— Vernissage le 8 juin, annonça-t-elle fièrement, et c'est Guillaume qui écrira la préface du catalogue.

— Je crois que ce serait, de sa part, une grande erreur, coupa Edmée sèchement.

— Et pourquoi, je vous prie ? rétorqua Wanda. Claudel l'a fait, et Valéry, et dix autres.

— C'était tout à fait différent, dit Edmée.

— En quoi ?

— Eh bien, puisque vous insistez, je serai franche : parce que tout le monde connaît l'admiration que vous porte notre ami. On dira que c'est une préface de complaisance, ce qui ne fera de bien ni à vous ni à lui.

Wanda pâlit de colère :

— Croyez-vous, demanda-t-elle en roulant plus que jamais ses *r*, que Claudel et Valéry n'aient pas eu d'admiration pour les artistes dont ils faisaient l'éloge ?

Edmée haussa les épaules :

— Vous savez très bien que nous n'employons pas le mot *admiration* dans le même sens.

Sur quoi elle changea de sujet. Elle ne voulait pas se brouiller avec un couple destiné peut-être à durer. Guillaume Fontane semblait asservi, et en somme heureux, sauf quand on lui demandait des nouvelles de Pauline. Alors son visage s'assombrissait décemment et il secouait la tête, en levant les yeux au ciel.

Wanda et lui repartirent, comme ils étaient arrivés, ensemble.

10

Pauline Fontane fut informée du déjeuner Larivière. Elle eut avec Guillaume, puis avec Edmée, mandée rue de la Ferme, de violentes explications à la suite desquelles Fontane, pendant quelques jours, se montra prudent. Il continuait de rendre visite à Wanda, dans l'atelier de celle-ci, mais avait cessé de se faire inviter avec elle. Un soir il pria Hervé Marcenat de venir partager, à Neuilly, son dîner solitaire. Après le repas, il entraîna le jeune homme au jardin et là, sous les étoiles, lui fit de tristes confidences :

— Ah ! mon ami ! Voici que je me trouve, moi, un épicurien si peu fait pour la tragédie, dans une situation... heu !... cornélienne. Oui, cornélienne, il n'y a pas d'autre mot, car enfin, tout de même, je ne puis sans ingratitude et sans honte oublier un dévouement si exact, une affection qui ne fut exigeante que parce qu'elle était absolue... Et pourtant, ce ne serait pas sans désespoir que je renoncerais à un sentiment qui est sans doute la dernière flambée d'un cœur déjà tout consumé. En vérité, mon bon ami, je devrais, sur mon infortune, écrire des stances aussi... heu !... pathétiques que celles de Rodrigue, puisqu'aujourd'hui l'obstacle est mon épouse et celle qui l'offense mon amie la plus chère.

— Mais qu'y a-t-il de nouveau ? Je vous avoue que je ne suis plus au courant de vos affaires sentimentales.

— Hélas ! ce n'est que trop simple. Pauline devient de plus en plus malade, cela ne fait aucun doute. Elle refuse toute nourriture et maigrit à faire pitié. Elle a perdu douze, quinze kilos... Enfin quelque chose de terrifiant... Gaulin ne me cache pas qu'il craint le pire. Elle affecte un stoïcisme dont je ne suis pas dupe. La preuve que son mal est de l'âme plus que du corps, c'est que si, comme toute la semaine dernière, je ne quitte guère la maison, aussitôt les médecins constatent un léger mieux qu'ils attribuent, comme font toujours ceux de leur état, à telle ou telle de leurs... heu !... incantations... Mais alors Wanda, elle, devient furieuse et me prévient que, si je continue à la négliger ainsi, elle se lassera. Or, je ne puis renoncer à elle. C'est au-dessus de mes forces. Depuis qu'elle est entrée dans ma vie, je suis un autre homme... Tenez, mon ami, asseyons-nous sur ce banc.

Un buisson de chèvrefeuille, tout proche, exhalait une odeur divine.

— Oui, continua Fontane, un autre homme... Je me plaignais à vous, il y a quelque temps, d'avoir perdu ma puissance de travail... Ce n'est plus vrai... Vous le verrez quand je pourrai vous lire la longue nouvelle à laquelle, grâce à Wanda, je travaille... Vous savez que, depuis longtemps, je n'étais guère content de ce que j'écrivais, mais ceci est neuf, je le sais... Pourquoi grognez-vous ?

— Parce que je crains, mon cher maître, que vous ne vous laissiez entraîner par notre Wanda vers des sujets qui ne sont pas les vôtres... Les idées explicites, dans une nouvelle ou dans un roman, il n'y a rien de plus dangereux.

— Préjugés, mon ami, préjugés !... Voyez Tolstoï, est-ce qu'il avait peur des idées explicites ?...

Et Joyce ? Et Proust ? Est-ce qu'ils hésitent à mêler à leurs romans de longues discussions littéraires, voire politiques ?... Non, cette jeune tendresse aura été ma fontaine de Jouvence... Seulement je suis... heu !... torturé... Je ne voudrais faire de mal ni à l'une ni à l'autre.

— Cela ne me paraît pas facile.

— Facile ? Non... Mais possible, peut-être... si vous vouliez m'aider.

Ce fut ainsi qu'en tournant autour des parterres, Hervé Marcenat accepta de couvrir d'un alibi fragile le long après-midi de juin que Fontane passa, tout entier à la galerie Ezec, le jour du vernissage de l'exposition Nedjanine. Wanda avait exigé qu'il se tînt à ses côtés. Edmée Larivière, après avoir fait rapidement le tour de la salle, entraîna Hervé sous un palmier :

— Enfin tu avoueras que c'est ridicule ! Guillaume prend des airs de maître de maison. Et cette préface !... Elle lui a imposé de parler d'un Nedjanine qui était maréchal de la Cour sous la grande Catherine ! D'abord c'est probablement faux et, tout de même, il faudrait savoir si elle veut être la camarade Wanda, ou une grande-duchesse en exil... Et puis cette phrase, certainement dictée par elle, sur son extrême simplicité : « *Toujours sobrement vêtue de noir, sans un bijou...* » Il est vrai qu'elle affecte de n'en porter aucun, pas même un bracelet-montre, ce qui fait qu'elle est toujours en retard... Mais *sobrement vêtue*, ah ! non... Pas depuis Guillaume !

— Quelle passion, Edmée ! Quelle véhémence ! Qu'est-ce qu'elle t'a fait ?

— Elle m'a gâché une amitié à laquelle je tenais.

Cependant les critiques louaient les portraits. Bob et Bobby, ce curieux ménage de garçons, si intime avec Wanda, exultaient :

— Maintenant ça y est ! dit Bob à Wanda. Tu es lancée... Ce ne serait rien si tu n'avais pas de talent mais, comme tu en es pourrie, c'est capital... Tes bonnes amies t'attendaient au coin de la rue pour te faire ton affaire... Tu as gagné ; elles vont se glorifier de toi.

Fontane, Hervé, Bob et Bobby allèrent avec Wanda, terminer la journée à Montmartre. Guillaume était ravi de son escapade, de la gentillesse de Wanda qui s'accrochait conjugalement à son bras et des petites places plantées de marronniers qu'encombraient des cafés en plein air.

Quelques jours plus tard, Wanda partit pour le Midi. Bob et Bobby, qui possédaient une maison à Villefranche, l'avaient invitée.

— Si vous voulez venir nous rejoindre, cher Guillaume, dit-elle à Fontane qui se lamentait, ils seront en-chan-tés... Leur villa n'est qu'une cabane de pêcheurs, mais la plus belle chambre serait pour vous... Vous verriez, sur la plage, de jolies filles... Et moi, je serais *tellement* heureuse d'habiter enfin sous le même toit que vous... Cela vous ferait un bien fou, de toute manière... On vous installera un coin pour travailler...

— J'aimerais mieux, dit-il, que vous restiez à Paris... Ma femme...

— Je regrette, dit-elle sèchement ; je ne puis

me passer de mes trois mois de soleil... Je vous attendrai.

Mais Pauline demeurait hors d'état de quitter Neuilly et Fontane assez lucide pour comprendre qu'il ne pouvait l'abandonner. Hervé Marcenat reprit l'habitude, perdue par lui, d'aller presque chaque soir rue de la Ferme. Mme Fontane, sachant Wanda éloignée, ne montrait plus aucune méfiance et encourageait son mari à sortir avec le jeune homme. Fontane prenait un plaisir naïf à garder contact avec les lieux et les spectacles que Wanda lui avait révélés. Tout ce qu'elle aimait : tableaux, disques, films, nourriture, conservait aux yeux de Guillaume un surprenant prestige. L'été devenait brûlant et les jeunes femmes, dans les cafés de Montparnasse, portaient des robes légères, de couleurs vives.

11

Après le 14 Juillet, les quatre mille personnes qui, parce qu'elles se couchent tard, croient mener le monde, partirent pour les plages et les champs. Fontane, héroïque et plaintif, demeura fidèle à son poste conjugal. Sa femme allait mieux. Elle se levait chaque jour un peu et s'étendait sur un divan, vêtue d'une fort ancienne robe d'intérieur, dont les gazes transparentes laissaient entrevoir les dorures éteintes d'une peinture sur velours noir. Elle restait d'une pâleur mortelle mais, quand elle reçut Marcenat pour la première fois, il fut frappé de la voir, comme ces actrices qui, interrompues pendant une répétition, reprennent sans effort le ton dramatique, rentrer soudain, avec une apparente aisance, dans son rôle de femme animée et brillante.

— Bonsoir, Hervé, dit-elle. (C'était la première fois qu'elle le nommait ainsi)... Je pense souvent à vous, et avec reconnaissance... C'est gentil de rester à Paris à cause de nous... Très gentil... Vous pouvez, mieux que personne, veiller sur Guillaume pendant que je suis malade. Ce ne sera plus long... Gaulin, cet après-midi, s'est dit tout à fait content de moi... Il parle de m'installer au jardin, la semaine prochaine... En attendant, emmenez ce soir Guillaume ; ça le distraira... Il passe un si triste été, le pauvre !

C'était une nuit de plomb, sans un souffle d'air. Marcenat conduisit Fontane sur une péniche transformée en restaurant. Autour d'eux, on parlait anglais, allemand, espagnol. Fontane se lamentait. La chaleur l'incommodait, disait-il, et, depuis le départ de Wanda, il ne pouvait plus travailler.

— Vous auriez encore plus chaud dans le Midi, dit Hervé.

— Mais non !... Dans le Midi, il y a toujours une brise de mer... Notre amie m'écrit que les nuits, sur la plage, sont divines... Elles le seraient, en effet, près d'elle... Ecoutez...

Il tira de sa poche, une lettre. Hervé reconnut l'écriture puissante et virile de Wanda. Il lut :

« Le ciel est bleu, la mer est bleue, mon âme est bleue. En m'apportant le plateau du petit déjeuner, Bobby m'a dit : « Tu as une lettre. » A travers la moustiquaire, j'ai tendu ma main endormie. Un peu plus tard, j'ai rougi en lisant les choses trop gentilles que vous dites de moi. J'ai, moi aussi, le cœur plein de choses pour vous, mais elles sont exigeantes et vigoureuses. Cher Guillaume, ne viendrez-vous pas me rejoindre ici ? La mer, le port bruyant et pouilleux, les débardeurs nus jusqu'au ventre, tout cela vous réconcilierait avec la vie, tandis que Paris, les gens de Paris en veston et col fermé, c'est laid et vous flanque le cafard. Avez-vous au moins bien travaillé ? Avez-vous fini *ma* nouvelle ? J'y pense souvent. Mes amis me blaguent parce que je ne peux plus ouvrir la bouche sans dire : « Fontane »... Que vous seriez heureux ici, à cette heure où se lèvent les voiles blanches et où courent, sur une mer violette, les vedettes chargées de marins gais et roses. Venez vite, Guillaume. Vous me verrez cuire mon dos, mes bras, mes jambes, mes seins sur une terrasse brûlante. Venez, la vie est belle et vous m'aiderez à l'aimer. »

Hervé Marcenat imagina en même temps, pour les opposer, la malade en robe surannée et la baigneuse nue.

— Evidemment, dit-il en rendant la lettre à Fontane, évidemment cela serait tentant si...

On devinait au loin un orage lourd, obsédant. Fontane se plaignit d'une migraine.

— Cet orage qui n'éclate pas, dit-il, figure assez bien l'état de mon âme... Les passions grondent et roulent, mais c'est, hélas, en d'autres lieux que les rafales désirées balaient les pluies dont j'ai soif, et mon vieux cœur reste aride.

Quand la nuit devint plus fraîche, cette humeur passa :

— Si, dans une semaine, Pauline va tout à fait bien, dit-il avec gourmandise, je lui demanderai un petit congé et ferai un saut jusqu'à Villefranche... Oh ! très rapide, quelques jours... mais qui seront... heu... olympiens.

— Vous ne *pouvez* prendre ce risque, dit Hervé avec humeur.

Ils restèrent longtemps silencieux. Des météores rayaient le ciel. Fontane pensait à une nuit méditerranéenne, à des palmiers agités par la brise et aux parfums d'un corps jeune.

— Vous êtes dur pour moi, dit-il enfin, très dur.

— Moi ? Je n'ai jamais eu plus d'affection pour vous, mais je souhaite que vous mesuriez vos responsabilités.

— Je les mesure, mon ami, je les mesure. Elles sont, hélas, bilatérales... Ma femme est pour moi le tout du tout... Si elle mourait, je la chercherais partout pour qu'elle me console... Mais à Wanda aussi j'ai donné, imprudemment, des espérances...

— Pour celle-là, je suis tout à fait tranquille, dit Hervé en haussant les épaules.

— Et puis, enfin, il y a mes propres sentiments... Vous connaissez Wanda aussi bien que moi. Si je ne vais pas à Villefranche, vous savez qu'elle n'acceptera pas cette défaite et qu'elle rompra... Je ne suis pas capable de le supporter. Mais si !... Vous savez que cela est vrai !

Après de longs débats, Fontane décida de consulter le Dr Gaulin. Celui-ci fut péremptoire :

— Aucun doute, dit-il. Mme Fontane mourrait

de douleur. Comment ? Le mécanisme est mystérieux. Action des émotions sur les glandes endocrines ; accroissement des sécrétions ; troubles apportés dans les organes vitaux par cet accroissement. Voilà à peu près le schéma. L'étage supérieur tient sous sa domination presque tout ce qui se passe dans le corps. Quel sera l'organe atteint ? Le plus faible. Cela dépend des individus. J'ai observé de nombreux cas de cancers déclenchés, à n'en pouvoir douter, par le malheur : veuvage, disgrâce ou faillite. Dans le cas de Mme Fontane, rien n'est perdu. Elle espère encore, contre tout espoir. En cas de rupture entre elle et vous, je suis convaincu qu'elle dépérirait jusqu'à succomber. Je m'excuse de ma brutalité ; il faut que vous connaissiez tous les éléments de la situation.

Après cette consultation, Guillaume Fontane écrivit à Wanda que l'état de sa femme ne lui permettait pas d'aller à Villefranche.

12

Les maladies qui sont plus psychiques que physiques évoluent de manière aussi foudroyante vers le mieux que vers le pire. Dès que Pauline Fontane fut certaine que la rupture entre son mari et Wanda serait totale, elle commença de s'alimenter et reprit du poids. Ses couleurs revenaient ; ses joues se remplissaient à vue d'œil, comme un ballon d'enfant que l'on gonfle. Le Dr Gaulin, heureux de cette cure, s'amusait avec Hervé d'un changement qui semblait miraculeux.

— Elles sont terribles, disait-il. Elles nous font le chantage à la mort et elles gagnent à tous les coups.

Guillaume Fontane semblait profondément atteint. Pendant quelques jours, il avait éprouvé ce contentement de soi que donne l'abnégation. Le malheur était qu'en retrouvant ses forces, Pauline avait arboré un air de triomphe qui manquait de mesure et de tendresse. Elle ne paraissait comprendre ni l'étendue ni la nature du sacrifice fait par son mari. Guillaume avait été, pensait-elle, joué par une intrigante et elle, Pauline, lui avait rendu un suprême service en le ramenant à la raison. Elle n'imaginait pas qu'une passion ardente et douloureuse pût tourmenter cet homme qu'elle-même avait naguère aimé furieusement mais que, depuis longtemps, elle tenait plus pour un associé, et pour une machine à livres, que pour un amant.

Or, pour Fontane, le rajeunissement par l'amour avait été, pendant ces derniers mois, un merveilleux espoir. Le ton protecteur qu'adoptait avec lui sa femme le blessait. L'attitude de Pauline lui semblait maladroite, comme le serait la politique d'un parti qui, ayant obtenu de ses adversaires un compromis généreux, gâterait la réconciliation en abusant de l'accord et en traitant comme faiblesse ce qui aurait été sagesse et grandeur d'âme.

— Pauvre Guillaume ! disait-elle à Hervé avec un sourire indulgent et supérieur. Enfin il a

63

compris qu'il approche de la soixantaine. C'est heureux ! Cette infatuation ridicule faisait peine pour lui.

— Puis-je me permettre, madame, de vous dire : « Soyez prudente » ? M. Fontane reste étonnamment jeune d'allure et d'esprit. Je suis certain qu'il pourrait encore plaire. Il y renonce, c'est entendu, par affection pour vous, mais...

— Pas seulement par affection, par nécessité ! Vous avez vu avec quelle allégresse sa belle l'a quitté.

— Parce qu'elle l'a senti trop attaché à vous.

— Pauvre Guillaume ! Que ferait-il sans moi ? Il ignore tout de la vie. Vous ne l'avez jamais vu dans une gare ou dans une banque ? Il a l'air d'un papillon qui se brûlerait à tous les guichets.

Presque chaque jour, elle faisait maintenant quelques pas au bras de son mari et, chaque jour, allongeait sa promenade. Le jour où elle put achever, au Bois, le tour du petit lac de Saint-James, Fontane le dit avec fierté à tous les amis qu'il rencontra. Qu'il aimât « authentiquement » sa femme, on n'en pouvait douter. Mais les « Pauvre Guillaume ! » de celle-ci le crispaient. La pitié est un sentiment désagréable pour celui qui en est l'objet quand elle s'applique, non à un accident extérieur, mais à la nature profonde de l'être. Fontane se sentait diminué, désemparé. Son mécontentement fut accru, et comme cristallisé, par la visite d'un jeune journaliste, Clément Clementi, venu pour une enquête littéraire.

C'était un garçon de vingt-deux à vingt-cinq ans, au visage angélique, d'intelligence rapide, et délibérément agressif. Dès le début de la conversation, il avait pris, lui aussi, à l'égard de Fontane, un ton arrogant, un peu dédaigneux :

— Vous vous souvenez, monsieur, que Stendhal disait : « J'aurai des lecteurs en 1880. » Croyez-vous que vous aurez des lecteurs en 1980 ?

— Que diable voulez-vous que j'en sache ? grommela Guillaume Fontane. Voltaire n'aurait pas cru que nous lirions aujourd'hui *Candide*, et il serait tout surpris de constater qu'on ne joue plus *Zaïre*... Qui aurait pu prévoir la fortune de Baudelaire ?... Stendhal croyait Racine fini.

— Peut-être, monsieur, mais il semble certain que résistent seules aux siècles les œuvres qui ont apporté quelque recette originale. Racine, en son temps, était neuf. Les romantiques, vers 1830, renouvelaient à la fois les sujets et le langage. Les surréalistes auront leur place dans l'histoire de la littérature. Mais vous, monsieur... Vous êtes l'un des derniers aspects d'une tradition excellente... et périmée.

A Hervé Marcenat, Fontane parla de cet entretien avec inquiétude et tristesse :

— Tout de même, dit-il, tout de même, l'insolence de cette génération passe les bornes de la décence. J'aurais dû dire à ce jeune iconoclaste : « Permettez, mon ami, vous m'enterrez bien vite et tout vif. Or, vous non plus, vous ne savez rien de l'avenir. Il est possible qu'on lise encore mes œuvres en un temps où vous, et vos dieux aux pieds d'argile, serez fort oubliés... Car enfin le jugement de milliers de lecteurs en tous pays, c'est une... heu !... préfiguration de la postérité... » Naturellement, je ne l'ai pas dit. J'aurais craint de paraître vaniteux... Et d'ailleurs il n'avait pas

entièrement tort. Ah ! mon ami, je mesure chaque jour ce que je perds à vivre dans un monde
étroit et monotone. Notre amie Wanda me disait :
« Un homme marié n'est plus qu'une moitié
d'homme. » Et pas la meilleure moitié.

13

Il n'est pas surprenant que, dans cet état
d'esprit, Fontane ait fait assez bon accueil à un
visiteur étranger que le filtrage de Pauline, de
nouveau efficace, avait laissé pénétrer jusqu'à lui,
après cent démarches appuyées de noms illustres.
Cet Ovide Petresco était, malgré son nom rou-
main, citoyen des Etats-Unis. Il dirigeait, à New
York, une agence littéraire et un bureau de conférences, tous deux prospères. Sa tactique était
celle du torrent en temps de crue. Déluge de
paroles qui emportait tout. L'interlocuteur se
trouvait vaincu d'avance, parce qu'il ne pouvait
placer un mot. Arguments patriotiques, person-
nels, financiers, tout était jeté dans cet assaut,
avec intelligence et non sans charme. Fontane fut
amusé, tenté, submergé. Ovide Petresco souhaitait que « lé maître » acceptât de faire une tournée de conférences en Amérique du Sud, qui se
terminerait par un cycle à New York, Boston et
Philadelphie. Il développa ce projet avec une éloquence, tantôt enthousiaste et lyrique, tantôt

pathétique et chargée de reproches quand Fontane refusait de comprendre son « devoir ».

— Maître, vous né savez pas cé qué vous êtes là-bas ! Au Brésil, en Argentine, au Chili, au Vénézuela, M. Fontane, cé lé bon Dieu... Lé Bon Dieu !... Touté lé femmes, elles ont lou vos romans ; elles lé savent par cœur, vous sérez réçou comme oune souverain. Et si vous n'allez pas, maître, qu'est-cé qué cé qui arrivéra ? Qué des misérables minouscoules, ils vont s'accaparer la belle langue française !... Voilà cé qué moi, Petresco, jé né lé permettrai pas. Chez nous là-bas, dans lé pays, j'ai été élévé en français ; jé parle lé français mieux qué ma langue natale ; jé veux défendre lé français dans lé monde, et c'est pourquoi jé vous dis : « Signez ! »

— Mais, mon bon ami, je ne suis ni un orateur ni un voyageur. J'ignore tout de ces pays ; je ne parle pas leurs langages. Et j'ai besoin, hélas, d'avoir à ma portée un médecin qui me connaisse. La thérapeutique change avec les latitudes. Si je vous écoutais, je risquerais...

Petresco secoua la tête avec tristesse :

— Maître, maître, vous né dévez pas dire : « Si jé vous écoutais »... parcé qué vous avez déjà accepté dans votre cœur. Oui, dans votre cœur, vous avez signé. Vous aimez votré pays ? Vous aimez votré gloire ? Alors vous dévez vénir. Si vous êtes malade, jé vous soigne. Il y a là-bas les plous grands médecins... Maître, nous *dévons* partir : j'ai déjà tout arrangé, réténou les salles, commandé les affiches... GUILLAUME FONTANE... Les femmes, elles séront folles quand elles liront. Et quelles femmes, maître ! Elles sont les plous jolies et les plous aimantes dou monde... Moi-même, qui souis bien loin d'être lé maître, jé peux vous dire qué j'ai connou là...

Fontane leva les bras vers les rayons élevés où dormaient les philosophes :

— Voilà justement, dit-il, ce que je ne veux pas. Je n'ai plus l'âge des aventures, mon ami.

— Plous l'âge des aventoures !... Maître, vous avez *po-si-ti-vé-ment* l'âge dé les aventoures. Votré grandé Colette, elle a dit : « A vingt ans, on né sédouit pas ; on est sédouit. » Mais à cinquante ans...

— Bientôt soixante, soupira Fontane.

Ovide Petresco manifesta la plus flatteuse surprise :

— Cé né *pas* possible, dit-il avec une invincible autorité.

Ce qui fit plaisir à Fontane.

Pourtant il résista longtemps. Petresco revint, patiemment ; les vagues d'assaut se succédèrent, emportant chacune un bastion. L'Américano-roumain devint célèbre dans la maison. Alexis disait, avec une résignation attristée : « C'est encore ce monsieur... » Mme Fontane l'appelait : « Le misérable minuscule. » Fontane qu'avait séduit le prénom latin du visiteur, le nommait *Ovidius Naso*. Hervé Marcenat, ayant assisté à quelques entretiens Fontane-Petresco, mettait Pauline en garde :

— Si vous le laissez revenir, madame, M. Fontane finira par signer. Le *misérable minouscoule* est une force de la nature ; son accent masque parfois son esprit, mais il est très fin.

— Et pourquoi, dit-elle, Guillaume n'irait-il pas évangéliser les Pingouins ? Cela le divertira et lui

fera goûter plus tard la douceur du retour :
« *L'un d'eux, s'ennuyant au logis...* »

— L'un d'eux ?... Vous ne l'accompagneriez
pas ?

— Certes non ! dit-elle avec force. Je viens
d'être mourante ; j'ai besoin d'un long repos...
En outre, ce voyage ne me tente pas. J'aimais,
naguère, à suivre Guillaume en Italie, en Grèce,
en Egypte... Mais ces continents neufs, sans
passé...

— Sans passé, madame ! Et les Incas ? Et les
Mayas ?

— Je n'aime pas les idoles féroces, dit-elle ;
ce n'est pas là *mon* passé.

— Et ne craignez-vous pas, si vous laissez M.
Fontane partir seul, les inévitables tentations ?
Les femmes de ces pays passent pour volup-
tueuses et douces. M. Fontane sera là-bas « l'illustre étranger ». Son prestige fera miroir aux
alouettes.

Elle rit :

— De cela, je n'ai pas peur. Sa récente déconvenue a prouvé à Guillaume qu'il n'était plus
fait pour ces jeux. Et puis, dans toutes ces villes,
il passera très vite. Aucune femme n'aurait le
temps de le conquérir, moins encore de le fixer...
D'ailleurs le voudrais-je, que je ne pourrais faire
ce voyage. Je vais maintenant bien, Dieu merci,
mais au prix de grands soins, vous le savez, et
d'un régime sévère... Non, si Guillaume accepte,
je resterai ici ; je classerai nos archives ; je me
reposerai. Après tant d'années d'agitation, j'ai
besoin de solitude et de silence... J'ai fait prendre, par nos amis de New York, des renseigne-

ments sur ce Petresco ; il est honnête et sûr. Alors...

Fontane hésitait. L'épisode Wanda l'avait laissé instable, mécontent. Il eût été prêt à revenir à sa femme, dans un grand mouvement de tendresse et d'amour. Elle ne l'y encourageait guère. Plusieurs fois, au cours de leurs promenades, il essaya de retrouver le ton qui avait été celui de leurs jours heureux. Elle le ramenait sur terre, assez brusquement, en soulevant des questions pratiques qui, à Fontane, semblaient médiocres et vaines. Il se taisait et remâchait ses regrets.

— Baudelaire avait raison, dit-il un jour à Marcenat. Un homme peut se passer de manger pendant deux jours ; de poésie, jamais... Je ne puis supporter ce lent enlisement dans le quotidien. Au fond, nous n'existons que par le refus de ce qui nous entoure. L'acceptation totale, ce serait la mort. Le cadavre se résigne à n'être que ce qu'il est. Il est le seul.

Alexis entra, le visage affligé :

— C'est ce monsieur, dit-il, qui demande encore à voir Monsieur.

Fontane parut méditer :

— Eh oui ! dit-il, *Ovidius Naso*... Qui sait si là n'est pas, pour un temps, la solution ?... Voyez-vous, mon ami, nous sécrétons, en cinquante ou soixante ans, une carapace d'obligations, d'engagements, de contraintes, si lourde que nous ne pouvons vraiment plus la porter... Moi, j'en suis accablé... Les homards, eux, se réfugient de temps à autre dans un trou du rocher et font cuirasse neuve. Sans doute est-ce d'une métamorphose, ou d'une mue, que j'aurais besoin... *Ovidius Naso*

70

est peut-être l'ange du Seigneur... Alexis, faites entrer le messager des dieux.

Alexis secoua la tête avec pitié et sortit à pas furtifs.

Ce jour-là Fontane signa, sans le lire, le contrat que lui présenta Petresco. Il s'engageait à passer six semaines en Amérique du Sud, quinze jours aux Etats-Unis, et à quitter la France au début d'août. Cela ne lui laissait qu'un délai infime pour préparer ses conférences. De quoi parlerait-il ?

— Les soujets les plous modernes, conseilla Petresco.

— Qu'appelez-vous *moderne*, mon ami ? C'est là une querelle attardée. A en croire certains jeunes hommes, je ne suis pas moderne du tout.

— Maître, vous êtes éternel, dit Petresco... Les soujets ? Là-bas, ils aiment cé qui a l'air neuf. Parlez dé l'existentialisme... Ou bien parlez dé vous... Ça n'a pas beaucoup dé l'importance... Si jé mets sur l'affiche : GUILLAUME FONTANE, sans oun titre, toutes les femmes, elles courent au théâtre... Oune triomphe, maître, cé séra oune triomphe.

Pauline accepta la décision sans un murmure, et même avec une sorte de soulagement. Elle s'inquiéta aussitôt des climats divers et s'occupa des vêtements nécessaires. Petresco devait accompagner « lé maître » pour veiller sur lui et organiser la tournée. Hervé Marcenat escorta les Fontane jusqu'à Bordeaux, où les deux pèlerins devaient s'embarquer. Fontane lui parut ému et assez malheureux. Il semblait souhaiter une scène des adieux, et peut-être une suprême chance de

71

renoncer au voyage. Mme Fontane s'arrangea pour fuir le tête-à-tête. Au moment où son mari allait s'engager sur la passerelle, elle se laissa embrasser, mais demeura curieusement calme. Du quai, elle cria :

— Vous avez bien vos stylos, Guillaume ? Vos deux paires de lunettes ? Votre passeport ?

Appuyé au bastingage, il eut un mouvement d'impatience :

— Mais oui ! répondit-il. Je vous l'ai dit trois fois.

Tels furent, avant le départ, ses derniers mots intelligibles. La sirène couvrit la phrase finale.

DEUXIÈME PARTIE

A quoi as-tu réussi ? A me persua-
der que je pouvais encore être aimé ?
Non, mais à réveiller en moi le génie
qui m'a tourmenté dans ma jeunesse,
à renouveler mes anciennes souf-
frances.

CHATEAUBRIAND.

1

Lorsque Guillaume Fontane pénétra, vers minuit, dans le hall de l'hôtel Bolivar, à Lima, il se sentit soudain à bout de forces. Depuis quatre semaines, il allait de ville en ville, tantôt par avion, tantôt par chemin de fer. Au Brésil comme en Argentine, en Uruguay comme au Chili, il avait prononcé des conférences, harangué des journalistes, été reçu par des académies. Plus les jours passaient, plus l'envahissait le sentiment de la vanité d'une telle agitation. Au début du voyage, la chaleur de l'accueil l'avait soutenu, et aussi l'enthousiasme de Petresco qui répétait : « Ouné triomphé, maître ! Jé l'avais prédit : ouné triomphé ! » Peu à peu les éloges l'avaient lassé. Il avait rougi de la platitude à laquelle le condamnait la multiplication des discours. Surtout, comme un mal de dents qui se réveille après un répit, le souvenir de sa récente crise sentimentale le tourmentait dès qu'il était seul ! « Ah ! Pauline, Pauline ! pensait-il, si vous aviez été plus tendre, rien de tout cela ne serait arrivé et je ne serais pas exilé parmi ces étrangers ! »

A Petresco, qui traduisait pour lui les hommages du directeur de l'hôtel, il murmura d'un ton las :

— Mon bon ami, dites-lui surtout qu'il me garde

des visiteurs... Cette pompe où je suis condamné me tuera, je vous en avertis.

— Quellé pompé, maître ?... Ici, à Lima, vous vous réposérez... Nous restons quatré jours et seulement deux discours.

— Et combien de présidents ?

— Ouné seul, maître... Mainténant — né mé maudissez pas — avant dé vous coucher, vous dévez ténir conférence dé presse... Cinq minoutés !

— Mais pourquoi, mon bon ami, pourquoi ? Pour que l'on dise de moi, demain matin, à Lima, ce que l'on a déjà dit à Montevideo, à Santiago, à Valparaiso ? Que nous importe ? *A ces vains ornements, je préfère la cendre...*

Petresco secoua la tête avec tristesse. Ce Français n'était pas sérieux et on ne comprenait pas ce qu'il disait.

— C'est nécessaire récévoir la presse, maître, parcé qu'ici, elle est énormément pouissante... Seulement, à Lima, les journalistes, ils né parlent pas lé français aussi bien qu'en Argentina.

— Alors, mon bon ami ? Je ne sais pas l'espagnol, moi... En quoi j'ai tort. Ni Corneille ni Hugo n'eussent été, s'ils n'avaient connu cette langue et cette poésie, ce qu'ils furent... Mais c'est un fait.

— Jé sais, maître... J'ai arrangé qu'il y aura oune interprète... Elle est ouné jeune actrice qui a fait tournées pour moi l'an passé... Très célèbre en Amérique dou Soud... Dolorès Garcia... Elle vous plaira, maître... Belle, charmante... D'ailleurs la voici.

Une jeune femme venait d'entrer, blonde, sans chapeau.

— Ah ! charmante en effet, dit Fontane.

Les pommettes, un peu saillantes, évoquaient le type indien. Les yeux vert de mer, à la pupille cerclée de noir, étaient caressants et vifs. La bouche souriait, avec une bonne grâce jeune, ardente.

— *Que tal, Lolita ?* dit Petresco... La señora Dolorès Garcia ; lé maître Fontane... A la minoute où vous êtes entrée, Lolita, lé maître, il a ou dix ans dé moins.

— Les poètes n'ont pas d'âge, dit Dolorès.

Elle parlait français avec un accent à peine perceptible. Fontane l'en complimenta.

— Je n'ai pourtant, dit-elle gaiement, jamais vu la France, ni l'Europe. Mais j'ai été élevée dans un couvent français, Notre-Dame-de-Sion, et je lis surtout des auteurs français.

— Vraiment ? Que lisez-vous ?

— Vos livres, *maestro*... Je devais dire cela, *no ?*... La vérité, c'est que je suis actrice et lis surtout du théâtre : Claudel, Lenormand, Giraudoux. Je cherche des pièces à traduire... Et aussi des poètes : Laforgue, Valéry, Max Jacob, Apollinaire.

— Pas Racine, Musset, Baudelaire ?

— *Claro que si*... Voici vos journalistes.

Elle alla les recevoir. Fontane admira son aisance. Bientôt elle revint expliquer que trois des hommes étaient des critiques très intelligents, avec lesquels la conversation serait facile, mais que le quatrième avait une réputation de...

Elle s'arrêta :

— *Como se dice ?*

— Mauvais coucheur, suggéra Fontane.

— Oui, c'est cela. Il faudra être prudent.

— Chère señora, vous serez émerveillée par l'inanité sonore de mes propos.

Elle rit et, dès que l'entretien commença, se chargea de l'animer. Assise sur un fauteuil bas, tendue en avant, toujours présente, elle soutenait Fontane du regard. L'un des journalistes demanda si, lorsque Fontane composait un roman, il se servait de personnages réels.

— C'est une chimie intérieure difficile à décrire, dit-il. Le point de départ est dans la vie, mais les éléments naturels sont... heu !... digérés, transformés par l'artiste en sa particulière substance... Tout personnage de roman est une somme... Tolstoï disait : « J'ai pris Sophie ; je l'ai pilée avec Tania ; il en est sorti Natacha... » Gœthe observe Gœthe pour en faire Werther, mais Werther demeure très loin de Gœthe, puisque Werther, n'écrit pas *Werther*... On peut imaginer Balzac et Stendhal spectateurs d'un même drame ; cela donnerait deux romans tout à fait différents.

Elle traduisit, puis ajouta en français, pour Fontane :

— C'est comme un peintre, *no ?*... La nature a sa palette universelle, mais chaque peintre y choisit la sienne. Nous savons que Marie Laurencin emploie toujours le même bleu pâle, le même rose ; que le Greco aura des verts et des bleus irréels ; que, chez Renoir, toutes les femmes seront... *como se dice ?* irisées comme l'arc-en-ciel, *no ?*

— Bravo ! dit Fontane. Où diable avez-vous étudié ces peintres si vous n'êtes jamais allée en Europe ?

— Dans les livres ; j'ai des reproductions.

Un rapide dialogue entre eux commença. Ils avaient oublié les journalistes, qui tendaient l'oreille pour saisir, çà et là, un mot. Petresco, mécontent, intervint :

— Lolita, il faut parler l'espagnol. Lé maître, vous lé réverrez, mais ces señors...

Le « mauvais coucheur » entra en action. Il posa une question et Dolorès le rabroua en espagnol. Puis elle dit à Fontane :

— C'est absurde ! Il demande si vous nous prenez tous pour des sauvages...

— Dites-lui que je sais, au contraire, que votre civilisation est l'une des plus anciennes du monde et que je me propose, au cours de ce voyage, d'étudier votre art.

Dolorès fit tout un discours. Elle développa les phrases de Fontane. Il comprit vaguement qu'elle parlait de « l'énergie naturelle d'une terre toute promise à l'aventure poétique », ce qu'il n'avait pas dit. Il trouva plaisir à observer les effets de cette gravité souriante sur le visage buté du mauvais coucheur. A la fin, celui-ci hochait la tête avec approbation.

Quand les journalistes eurent pris congé, Petresco dit :

— Ouf ! Mainténant, lé maître, il va sé réposer... *Muchas gracias*, Lolita.

— Un instant, dit Fontane, un instant... Il faut d'abord que la señora Garcia boive quelque chose avec nous, pour fêter l'heureuse issue d'une conversation qui, sans elle, eût été un combat inégal. Que peut-on boire ici, señora ?

— Dites *Dolorès*, je vous en prie... Je suis baptisée *Maria de los Dolores*, mais tout le monde

79

en ce pays m'appelle Lolita... Dolorès est encore trop cérémonieux... La boisson locale ? C'est le *pizco,* une liqueur blanche, sauvage et virginale... Mélangée avec de l'eau glacée, je crois que vous l'aimerez.

Autour des verres, Fontane et Dolorès bavardèrent avec animation.

— Parlez-moi de Lima, dit-il. Que faut-il voir ?

— Tout ! Lima est une ville mystérieuse, ensorcelante. Mais il ne faut pas la visiter avec les officiels. Laissez-moi vous mener *bajo del puente,* au-delà du pont, dans les vieux quartiers espagnols. Vous savez qu'il y avait ici le vice-roi ?

— Bien sûr, c'est à Lima que se passe le *Carrosse du Saint-Sacrement.* Peut-on voir la maison de la Périchole ?

— Je vous y conduirai.

— Vous êtes la Périchole ?

— Il y a des points communs. Mais elle était gaie, je suis mélancolique.

— Pas ce soir.

— Non, ce soir, je suis contente... *Soy feliz...* Je ne sais pourquoi... Si j'avais une guitare, je vous chanterais des airs *flamenco.*

— Dites-moi des vers espagnols.

Elle passa sa main dans ses cheveux bouclés et Fontane remarqua ses doigts longs et fins.

> *A mis soledades voy*
> *De mis soledades vengo*
> *Porque para andar conmigo*
> *Me bastan mis pensamientos...*

— Ce qui veut dire ?

— « Je vais à ma solitude — Je viens de ma

80

solitude — Parce que, pour aller avec moi, — Me suffisent mes pensées. » C'est de Lope de Vega... Il n'y a que deux poètes espagnols vraiment grands : Lope de Vega et Federico.

— Federico ?

— Federico Garcia Lorca.

— Et Calderon ?

— Il me touche moins... C'est un théologien... J'adore Federico ; j'ai joué ici ses *Noces de sang*... Depuis qu'il est mort, j'ai son portrait au-dessus de mon lit... Vous avez lu son *Romancero gitan* ? *No* ? Oh ! il faut... C'est le plus beau poème de notre temps... Je vous le traduirai. J'ai du sang de gitane, vous savez ? Ça me donne une volonté prodigieuse... Vous verrez.

— Que de choses nous devons faire ensemble ! dit-il. Promenades, lectures, traductions, introspection.

— Si vous le voulez, *maestro*, que de choses en effet !

Elle le regarda longtemps, en silence. Petresco bâillait.

— Maître, cé né pas raisonnable. Vous avez démain doure journée et il est plous dé deux heures... *Buenas noches, Lolita.*

Elle se leva comme à regret :

— *Buenas noches, maestro*, dit-elle sur un ton d'intimité confiante.

Fontane la regarda s'éloigner d'un pas dansant.

— Quelle aimable fille ! dit-il.

— Oui, grande actrice, maître... Jé l'ai ménée jousqu'à Mexico. Les théâtres, ils étaient trop pétits... *Buenas noches, maestro.*

2

Petresco avait organisé un déjeuner chez Don Hernando Tavarez, président du comité de conférences. Le Chargé d'Affaires de France, un jeune célibataire, le baron de Saint-Astier, long, pâle et mélancolique, vint, avec la voiture de la Légation, chercher les deux hommes pour les y conduire. Le temps était doux, le ciel couvert.

— Le climat de cette ville est le plus étrange du monde, dit tristement Saint-Astier. Pendant six mois de l'année plane au-dessus de Lima ce nuage immobile, qui la couvre comme un toit. Il ne pleut jamais. Le professeur français qui enseigne la géographie à l'Université de San Marcos ne peut faire comprendre, à ceux de ses élèves qui n'ont pas voyagé, ce qu'est la pluie. Ils connaissent le mot. Quand la brume mouille le pavé, les Liméniens disent : « Vous avez vu cette pluie ? » Quand la température baisse d'un degré, ils soupirent : « Il fait froid. » En été, pendant six mois, le soleil brille ; en ce moment, vous le trouveriez hors de la ville, à trente kilomètres. Vous n'aurez pas le temps d'aller dans les Andes, mon cher maître ; c'est dommage.

— Que d'Indiens dans les rues ! dit Fontane, qui regardait la foule sur les trottoirs.

— Eh oui ! La moitié de la population du Pérou

est composée de purs Indiens, qui parlent encore le *quechua*. Ils demeurent attachés au sol, à leurs troupeaux de lamas. Voici l'Université San Marcos, mon cher maître, où vous parlerez ce soir. C'est la plus ancienne du continent, oui, plus qu'Harvard ou Williamsburg.

— Connaissez-vous, monsieur le Ministre demanda Fontane, une jeune personne qui se nomme Dolorès Garcia ?

— Je ne suis pas ministre, soupira Saint-Astier, seulement conseiller d'ambassade et chargé d'affaires, en l'absence de mon chef qui prend ses vacances à Paris... Lolita Garcia ? Qui ne connaît Lolita ?... Elle nous rend de grands services. Nous la trouvons toujours prête à réciter des vers, pour nos séances de l'Alliance Française.

— Elle est fort gracieuse, dit Fontane.

— Elle a du talent, dit Saint-Astier. Elle a joué la semaine dernière, sur le parvis de l'église San Francisco, un *auto sacramental*, c'est-à-dire un mystère : *El Viaje de Almu... Le Voyage de l'âme*, par Lope de Vega... C'était très beau.

— Je le crois volontiers, dit Fontane.

La voiture entrait dans un quartier neuf. Des masses de bougainvillées, rouges et violettes, enveloppaient les maisons blanches.

— Nous sommes, dit Saint-Astier, dans le faubourg de Miraflores qu'habite notre hôte... Voyez, mon cher maître, les maisons neuves ont été construites dans un style à la fois madrilène, par les balcons de bois surplombants, par les grilles de fer forgé, et moderne par les grandes surfaces nues et blanches... Cela rappelle un peu le Maroc de Lyautey.

— Maître, dit Petresco, vous rétrouvérez Dolorès Garcia chez Don Hernando. Jé l'ai fait inviter... pour vous.

— Pourquoi pour moi ? dit Fontane. Pour la joie de tous.

— Je serai bien heureux ce soir, dit Saint-Astier, d'aller vous écouter, mon cher maître. Ici, à dix mille kilomètres de la France, nous avons besoin de visiteurs tels que vous.

— Je ne vous plains pas, dit Fontane ; les Liméniennes semblent très belles.

— Elles ont, reprit Saint-Astier d'un air accablé, les plus grands yeux et les plus petits pieds du monde, mais elles sont jalousement gardées par leurs maris. Ceci est un pays essentiellement catholique avec, chez les Indiens, de curieuses survivances de la religion du Soleil... Ce n'est pas, je vous assure, le paradis des célibataires... Nous voici arrivés.

Don Hernando vint à leur rencontre, opulent et noble. Il présenta, en français, un couple de l'ambassade d'Espagne et deux jeunes femmes : Marita Miguez de Roca et Dolorès Garcia. Le visage de Fontane se détendit :

— Ma providence, expliqua-t-il... Elle m'a sauvé, hier soir, des fauves auxquels *Ovidius Naso* m'avait jeté en pâture.

Il raconta, drôlement, son entrevue avec les journalistes. A table, il se trouva placé entre la maîtresse de maison, qui ne parlait qu'espagnol, et Dolorès avec laquelle il eut un long aparté, sur un ton confidentiel, affectueux et familier.

— Après le déjeuner, lui dit-elle à voix basse, ne vous laissez emmener ni par Saint-Astier ni

84

par Ovide. Je voudrais vous montrer la vieille ville.

Fontane eut un regard de complicité gamine :

— Entendu, dit-il, je vais me dégager.

Puis ils se mêlèrent à la conversation générale. Don Hernando, historien, tenait à expliquer au voyageur qu'il existe, dans toute l'Amérique Latine, une lutte sourde entre l'indianisme et le castillanisme.

— Au Mexique, dit-il, l'Indien a triomphé de l'Espagnol. Chez nous la lutte continue et, pour le moment, ce sont encore les vieilles familles espagnoles qui gouvernent le Pérou. Mais comme, théoriquement, nous avons le suffrage universel, il est trop facile pour les démagogues d'agiter les Indiens.

— Pourquoi *démagogues* ? demanda Dolorès avec passion... Il faut faire quelque chose... Les pauvres Indiens sont exploités par les *hacienderos*.

— *Momentito*, dit Tavarez, *momentito*... Les Espagnols, en Amérique du Sud, ont toujours été calomniés, monsieur Fontane, parce que des historiens anglo-saxons ont conté, les premiers, l'histoire de la conquête... Les Anglo-Saxons, eux, ont résolu le problème indien en massacrant tous les indigènes. Nous les avons sauvés, convertis. Il faudrait écrire une *Vie de Pizarre* pour montrer que le Conquistador, loin d'avoir été un homme cruel et faux, faillit être victime de sa confiance en l'Inca.

— Je suis bien ignorant, dit humblement Fontane, mais je me souviens d'avoir été ému par l'histoire de cet... heu !... Atahualpa, qui fut emprisonné alors qu'il était venu avec confiance à ce qu'il croyait être une entrevue... N'y a-t-il pas une scène, digne de *Salammbô*, où il fait remplir d'or, par ses sujets, toute une salle, pour racheter sa vie. Après quoi, bien que la rançon eût été payée, le Conquistador le fit étrangler ?

— Vous n'êtes pas du tout ignorant, *maestro*, dit Dolorès. C'est la triste vérité.

— Vous vous intéressez aux Incas, mon cher maître ? demanda Saint-Astier... Nous vous montrerons le musée de la Magdalena.

Dolorès se pencha vers Fontane :

— Non, murmura-t-elle, *je* vous le montrerai.

Après le déjeuner, l'hôte fit voir ses tableaux :

— Il faut que vous sachiez, monsieur Fontane, qu'après la conquête au XVIe et au XVIIe siècles, on vit se former à Cuzco, l'ancienne capitale des Incas, une école de peintres dont beaucoup étaient indiens. Ils voulaient imiter les peintures espagnoles, apportées par les conquérants, mais ils mêlaient aux scènes du Nouveau Testament des attributs locaux : palmes, bananes, grenades et même leur dieu Soleil... Comme l'or était, au Pérou, très abondant, ces artistes s'en servaient pour rehausser leurs tableaux, autant et plus que les Byzantins... Voyez.

— Fort intéressant, dit Fontane. Les costumes sont ceux des Incas, les couleurs celles du Greco... Mais tout ceci est d'un mysticisme bien sombre !

— L'art espagnol est sombre, dit gravement Dolorès Garcia. Le Pérou lui-même n'est pas gai. Ce nuage sur Lima... Cette nature volcanique... Pensez, *maestro*, que le Christ Jésus, dans nos églises, est souvent invoqué sous le nom de :

Nuestro Señor del Terremoto, Notre-Seigneur du Tremblement de Terre... Pourtant il y eut un intermède : le Lima du XVIIIᵉ siècle, celui de la Périchole...

Elle coula un regard vers Fontane et prit son bras :

— Venez voir, *maestro*, les aquarelles de Pancho Fierro... Don Hernando en a de charmantes... Tenez, voici les *tapadas*, femmes liméniennes du XVIIIᵉ coiffées d'une mantille qui ne laissait voir qu'un seul œil... Plus tard, l'Eglise a interdit cette coiffure.

— Je comprends l'Eglise, dit Guillaume Fontane. Rien de plus provocant ni de plus dangereux qu'un œil caché.

— Il y eut alors, dit Don Hernando, une véritable émeute des *tapadas*, qui exigeaient le droit de reprendre leur mantille... Je crois qu'elles triomphèrent. J'ai vu Lolita jouer *Motin de las tapadas*. Ce costume lui seyait... Oui tu étais irrésistible, Lolita. Il est vrai que tu l'es toujours.

Elle vit que le tutoiement avait surpris Fontane.

— Vous ne savez pas, *maestro*, mais en espagnol, on se tutoie tout de suite dès qu'on est amis... Dans deux jours, vous tutoierez tout Lima.

Quand Fontane prit congé, Saint-Astier se leva et dit :

— Un instant, mon cher maître, je vais faire avancer ma voiture.

— Non, monsieur le Ministre, non, je vous remercie... Je voudrais faire quelques pas à pied... Le déjeuner de Don Hernando exige les *mille passus post prandium*... D'ailleurs on ne voit bien une ville qu'en marchant. Peut-être cette belle Antigone, continua-t-il en se tournant vers Dolorès, acceptera-t-elle de guider ma vieillesse et mon ignorance ?

— Avec joie, dit Dolorès.

— Et je marcherai aussi, annonça fermement Petresco.

— Non, mon bon ami, non... Vous avez à régler les derniers détails de la conférence... Ne vous inquiétez pas de nous. Quand nous serons fatigués, nous prendrons un taxi.

Les autres se regardèrent, mais n'osèrent pas protester.

3

Le taxi qui ramenait, vers la ville, Dolorès Garcia et Guillaume Fontane marchait si vite que la jeune femme était sans cesse jetée sur son voisin. Elle s'en amusa :

— Ces chauffeurs de Lima, dit-elle, mettent leur point d'honneur à conduire dangereusement. Il y a, sur une place, la statue d'un amiral qui a été renversée par eux dix fois.

— Que cette rue est orientale ! dit Fontane. Ces échoppes ouvertes ressemblent à un souk du Caire ou de Marrakech.

— *Claro que si...* L'Espagne a laissé ici quelque chose de mauresque et d'arabe. Et l'autre Orient, celui de la Chine et de l'Inde, a dû y apporter, dans des temps très lointains, des semences qui ont pris racine... Vous connaissez nos chants *flamencos ? No ?* Ils sont aussi arabes qu'andalous.

Penchée vers lui, elle se mit à chanter à mi-voix un air triste, dont il aima les intonations rauques. Elle le regardait, comme si les paroles s'adressaient à lui. Il demanda ce que tout cela signifiait.

— C'est une déclaration d'amour, violente, et... *como se dice ?...* lubrique... *Es bonito, no ?*

— *Bonito*, oui, mais tragique.

— Bien sûr, dit-elle. L'amour *est* tragique. Pour nous, chanter c'est pleurer. Nos chansons tiennent du cri et du gémissement... La Vierge y est appelée Notre-Dame des Angoisses, Notre-Dame des Sept-Epées, Notre-Dame des Douleurs... Les Arabes nous ont transmis leur monotonie, leur patience infinie, et les gitans, l'accent neuf et... *como se dice ?...* profond. Je suis gitane, moi, de toute mon âme !

En arrivant à la vieille Plaza de Toros, elle fit arrêter le taxi.

— Maintenant nous irons à pied. Je veux vous montrer la petite chapelle ancienne, celle où s'agenouille le torero avant de tuer ou d'être tué. Vous aimez les corridas, *maestro ? No ?* Je vous les ferai aimer. Mais d'abord il faut aimer la Mort. Nous autres, Espagnols, pensons tout le temps à notre mort. Nous la voulons hono-rable et belle. Ce qui nous plaît dans les courses de taureaux, c'est une grâce souriante, face aux cornes meurtrières... *Nuestra vidas son los rios — Que van dar a la mar, — Que es el morir...* Vous comprenez ? « Nos vies sont les ruisseaux — Qui vont se jeter dans la mer, — Qui est la Mort. »

— Qui est *le mourir*, corrigea-t-il. C'est meilleur. De qui est-ce ? Votre cher Federico ?

— Non, bien plus ancien... Jorge Manrique... Mais la mort est dans tous nos poètes. Un Espagnol ne vit que pour sa mort. Et c'est pourquoi les Américains se trompent en essayant de nous apprendre à bien vivre... Nous ne voulons pas bien vivre ; nous voulons bien mourir... Venez par ici... Cette *Alameda de los Descalzos* conduit au couvent des Moines Déchaussés.

Elle avait pris le bras de Fontane et esquissait un pas de danse.

— Ces statues sous les arbres, dit-il, me font penser à nos jardins du Luxembourg, que j'espère bien vous montrer un jour... Au fond, nous sommes des classiques, nous Français, et vous... heu !... des romantiques.

— Non, dit-elle, nous serions plutôt des gens du Moyen Age. Nous n'avons pas de mesure ; nous ne l'aimons pas ; nous voulons goûter cette vie, si brève, avec passion, avec crainte parce que nous risquons la damnation éternelle, mais avec espoir aussi, parce qu'il suffit d'un instant de repentir pour obtenir la miséricorde divine.

— Vous êtes croyante ? demanda-t-il

Elle le regarda avec surprise :

— Et comment non ? dit-elle.

Puis elle l'entraîna vers la maison de la Périchole. Ils traversèrent un quartier pauvre.

— A cause des tremblements de terre, dit Dolorès, ces vieilles maisons étaient construites avec des tiges de bambou, de *canasta*, enveloppées de plâtre. Elles avaient pour toiture des planches minces, ou même des toiles peintes. Une ville-décor. Même les clochers d'église étaient en *canasta*, mais les saints en argent portaient des manteaux d'or. Que d'Indiens, *maestro*, sont morts dans les mines pour en tirer ces métaux ! Et cela au nom d'un Dieu qui aime les pauvres et qui est né dans une étable !... Cela me bouleverse... Pas vous ?

Des linges multicolores séchaient aux fenêtres des maisons. Un mendiant aveugle jouait de la mandoline.

— Curieux, dit Fontane, le rôle des mendiants dans Goya, dans Vélasquez... Je les retrouve ici tous pareils.

— Les mendiants dit-elle, font partie de notre vie... Etre un *caballero*, un *hidalgo*, cela ne dépend d'aucun rang social, d'aucune fortune acquise, mais d'une générosité... *como se dice ?*... naturelle. Dans Calderon, le mendiant va droit au paradis ; le riche et le travailleur ont plus de peine... Voici le palais de la Périchole. Ou du moins on l'appelle ainsi... C'était réellement la maison du vice-roi qui, tout-puissant, y logeait sa maîtresse.

Fontane s'amusa du Louis XV créole de cette architecture, où les bambous remplaçaient les colonnes de marbre. Le palais était devenu caserne. Dans la cour, des soldats pansaient leurs chevaux. Les sabots sonnaient sur les pavés. Quelques hommes cessèrent le pansage pour regarder Dolorès Garcia.

— *Mira*, dit l'un d'eux, *es guapa*.

Elle rit, contente :

— Manière un peu vigoureuse, dit-elle, de constater que je suis belle... Le vrai mot serait *hermosa*.

— C'est le *formosa* des Latins ; si je passais un mois avec vous, je saurais l'espagnol.

— Vous le saurez demain, dit-elle... Alors *mira*, Guillaume (c'était la première fois qu'elle l'appelait ainsi et il eut l'impression d'une caresse), ceci était la chambre de la Périchole, avec le lit à baldaquin, la décoration naïve et voluptueuse... Ici la rejoignait son amant. Et tout à côté l'oratoire, pour qu'elle pût s'y précipiter tout de suite après avoir commis le péché et demander pardon au Seigneur... Sur cette table, la maquette dorée du carrosse du Saint-Sacrement... *Es bonito, no ?*

— *Muy bonito*, dit-il... Je crois entendre, dans la cour, piaffer les mules d'Andalousie.

— Regardez par la fenêtre, dans la fourche de l'arbre, cette maisonnette de treillage... Là, le vice-roi faisait la sieste.

— Aimable XVIIIᵉ siècle ! dit-il. Délicieuse époque qui précéda la grande peur des classes dirigeantes ! Merveilleux temps, où l'envoyé du Roi Catholique pouvait loger chez lui sa concubine, sans faire scandale ! Hélas ! depuis nos révolutions et réactions, nous sommes devenus moraux. Non de cœur, ce qui aurait sa beauté, mais... heu !... de comportement.

— *Ay !* Guillaume, dit-elle, et elle reprit son bras.

92

En sortant du palais, Fontane aperçut, dans une échoppe, des cannes rustiques et voulut en acheter une. Les mères qui promenaient leurs enfants dans l'avenue des Moines Déchaussés le virent, étonnées, lever cette canne vers le ciel et, s'arrêtant, tenir de longs discours à Dolorès qui riait. Après quelque temps de promenade, elle proposa de prendre un autre taxi et d'aller au musée de la Magdalena.

— Vous voulez, Guillaume ? C'est une prodigieuse collection de statues, de poteries et d'étoffes, qui raconte toute l'histoire de la civilisation précolombienne...

— L'art des Incas ? dit-il. Certes, je veux visiter ce musée.

— *Pas* l'art des Incas, Guillaume ! Tout le monde dit ça, parce que Pizarre et Almagro trouvèrent ici des Incas, mais ceux-ci étaient eux-mêmes des conquérants qui venaient alors à peine de s'emparer de l'empire et qui avaient détruit une civilisation bien plus ancienne, dont vous allez voir les vestiges... Quatre mille ans d'art, comme en Egypte... Ah ! que je me réjouis d'être la première à vous montrer tant de beauté... Je suis sûre que vous aimerez.

— J'en suis sûr aussi, dit-il.

A ce moment, comme le taxi prenait un virage meurtrier, Dolorès s'accrocha en riant au genou de son voisin.

« Il est heureux, pensa-t-il, que mon programme ne me laisse plus que trois jours à Lima. Ceci devient dangereux. »

Le musée l'enchanta. Il y vit des vases aussi beaux que les meilleurs des vases grecs, des sculptures archaïques, des bijoux d'or. Dans des corbeilles d'osier, étaient des morts accroupis, enterrés avec leurs armes et leurs manteaux dont les couleurs : vert profond, bleu sombre, rouge grenat, rappelaient la palette de Gauguin.

— Ah ! j'ai été, dit-il en sortant, bien ému par cette visite. Il est saisissant de retrouver sur ce continent coupé du nôtre et de l'Afrique, la courbe même de l'art grec et de l'art égyptien... Eh ! oui, nous avons vu ici des vases primitifs, puis classiques, puis réalistes, puis décadents... Et si les conquistadors n'étaient intervenus, le cycle aurait recommencé... Comprenez-vous, ma belle amie, la grandeur de cet éternel retour ?... Les civilisations ne sont pas seulement mortelles ; elles sont tour à tour jeunes, mûres, vieilles, séniles. De la nôtre, nous ne pouvons, d'un regard, embrasser la courbe ; notre esprit prend la tangente. Mais lorsque le panorama complet de ces incarnations cycliques se trouve ainsi déroulé en quelques salles, c'est un spectacle... heu !... épique.

— Vous avez aimé, Guillaume ? Je suis contente... Il va falloir, hélas, que je vous ramène au *Bolivar*... Petresco doit piaffer. Mais je voudrais, rien qu'un moment, vous faire entrer dans la petite église de la Magdalena... C'est ma favorite.

La petite église baroque enchanta Fontane. Les autels portaient de lourdes colonnes torses, en argent, qui soutenaient des baldaquins ; les fenêtres opalines diffusaient une lumière nacrée ; la Vierge et les saints étaient vêtus comme des personnages de Murillo, mais de drap et de brocart véritables. Secouée par des sanglots, une femme priait avec tant de ferveur qu'elle ne vit même pas le couple. Dolorès s'agenouilla sur les dalles et fit une courte oraison. Guillaume Fontane, l'observant avec admiration, se sentait transporté dans un autre monde, poétique et passionné. Il avait le sentiment que quelque chose de grand et de beau était entré dans sa vie. Une marée de bonheur montait en lui.

Dolorès, ayant achevé ses dévotions, revenait à son compagnon.

— Le Destin, dit-elle à mi-voix sur un ton confidentiel et grave, le Destin nous pousse à petits coups dans ce grand monde inconnu.

Ils restèrent quelques minutes immobiles et silencieux, comme impuissants à s'arracher à la beauté de l'instant. Puis elle se dirigea lentement vers le porche. Quand ils arrivèrent à l'hôtel, ils y trouvèrent Petresco affolé :

— Maîtré, maîtré, quellé folie !... Lolita, qu'avez-vous fait dou maître ? La conférence, elle est dans oune heure... Lé maître né pourra pas parler...

Mais il se trompait et Guillaume Fontane fit, ce soir-là, le meilleur discours de sa tournée.

Après la conférence, Saint-Astier avait invité Dolorès, Marita et quelques jeunes écrivains péruviens à « prendre un verre » au *Bolivar*, de sorte que Fontane s'était couché tard, heureux de son succès. Il dormit quelques heures, rêvant qu'il entendait Dolorès et Pauline parler de lui avec amitié. Puis Pauline, dans le rêve, se mit à « taper » et le cliquetis de la machine à écrire réveilla le dormeur. Ovide Petresco frappait à la porte. Fontane alla ouvrir.

— *Buenos dias, maestro*. Jé m'excouse dé vous réveiller. *Jé dévais* m'assourer qué vous n'alliez pas disparaîtré tout lé jour comme hier... Vous né pouvez pas faire ça, maître. Ici, vous né disposez pas dé vous ; vous êtes Guilllaume Fontane ; vous êtes le France... Vous déjeunez aujourd'hui à la présidence dé la Répoublique ; ensouite, vous dévez aller à l'Alliance, pour ouné réception... Et à six heures, lé ministre Saint-Astier, il donne cocktail pour vous, dans sa maison privée. Jé vous dis ça tout dé souite, parcé qué Dolorès Garcia, elle a déjà téléphoné pour savoir si vous pouvez sortir avec elle... Jé né sais pas cé qué vous avez fait à cette femme, maître ! Elle dit : « Jé né jamais rencontré ouné homme si intéressante. » Jé souis certain qué, si vous lé voulez, elle est à vous. Mais aujourd'hui, maître, vous avez dé dévoirs. Jé m'excouse...

Il continuait à traiter Fontane avec un mélange d'adulation affectueuse et de sévérité peinée.

— Mon ami, dit Fontane, je suis bien touché

de ce que vous me dites au sujet de cette jeune femme, mais je ne veux ni d'elle ni d'une autre. Cela n'est plus de mon âge. En admettant qu'elle eût un moment de délire, elle se réveillerait vite dans les bras d'un vieillard. Alors l'enchantement serait fini et je souffrirais. Vous me direz qu'une telle souffrance aurait son prix, mais il y a celle des autres... Vous connaissez peu Mme Fontane ; c'est une femme admirable et que j'aime de tout mon cœur. Je ne vais tout de même pas l'offenser mortellement pour les yeux, si puissants soient-ils, d'une gitane entrevue.

— Maître, dit Petresco, vous férez cé qué vous voudrez... Moi, j'ai avec vous contrat pour conférences, pas pour conquêtes... Si j'étais vous, jé cueillerais cé qui s'offre. Comment la senora Fontane saurait-elle cé qué vous faites à Lima ?... Mais c'est *votre business, not mine*... Tout cé qué jé demande, c'est qué vous êtes prêt pour la Présidence, à midi.

— Je le serai, mon ami. Laissez-moi faire ma toilette.

A peine Petresco était-il sorti que le téléphone sonna. Fontane reconnut la voix grave de Dolorès :

— *Buenos dias, maestro*... Vous avez fait de beaux rêves ?

— Très beaux, Dolorès. J'ai rêvé de vous.

— C'est vrai ? *Estoy contenta*... Ecoutez, Guillaume, j'ai parlé tout à l'heure avec votre *Ovidius*. Il m'a expliqué que vous êtes pris tout le jour. Mais moi, je voudrais vous revoir et pas au milieu d'une foule... Vous allez bien, à six heures, pour le cocktail, chez le jeune homme triste, l'*Encar-*

gado de Negocios ?... Como se dice ?... Le Chargé
d'Affaires de France ?... Moi aussi... Vous pourrez vous échapper vers huit ou neuf heures, *no ?...*
Partons ensemble ; j'aurai ma petite voiture et
je vous emmènerai dîner au Country Club... Ça
va ?

— Ce sera charmant, dit Fontane. Vous me
chanterez des chants *flamencos,* vous me réciterez
des vers espagnols, et vous me raconterez votre
vie.

— Pas de programme, dit-elle, j'aime attendre
ce que je n'attends pas. Ne vous ennuyez pas trop
parmi les grands de ce monde. *Hasta siempre,
amigo.*

Il resta songeur. Pourquoi s'intéressait-elle à
lui ? Sans doute parce qu'il était français, parce
qu'il devenait pour quatre jours l'homme à la
mode peut-être parce qu'elle espérait aller en
France. Quoi qu'il en fût, c'était agréable ; il la
trouvait infiniment plus poétique et neuve qu'une
Wanda Nedjanine, toute frottée de snobisme
parisien.

La journée lui parut longue. Au déjeuner pré-
sidentiel, il vit des généraux et des amiraux, avec
lesquels il échangea des propos dans le style des
félicitations qui suivent la revue du 14 Juillet !
Leur vocabulaire français était court ; le sien, en
espagnol, nul. Le Président, juriste aimable et
cultivé, l'interrogea sur la Constitution de 1875,
que Fontane connaissait mal. Il s'en tira par des
anecdotes sur Mac-Mahon, qui amusèrent. A
l'Alliance, il fit un discours sur la défense et l'illus-
tration de la langue française. La réception de
Saint-Astier, émaillée de jolies femmes, fut un

repos. Dolorès y était, vive, très entourée, mais elle parla peu avec lui et même évita le groupe où il se trouvait.

« Sans doute, pensa-t-il, ne tient-elle pas à ce qu'on remarque notre intimité. Elle a raison. »

De loin, deux ou trois fois, elle lui fit un signe amical. Elle avait une curieuse manière de froncer le haut de son nez, entre les yeux. Cela semblait signifier : « Oui, je parais lointaine ; en fait, je suis tout près de vous... » Il guettait ce signe et répondait de manière assez distraite aux belles inconnues qui lui parlaient de sa conférence. Vers huit heures, Saint-Astier s'approcha de lui et dit à mi-voix :

— Mon cher maître ; me ferez-vous l'honneur de rester après le départ de la foule ? J'aurai un petit souper froid et retiendrai quelques amis.

— Ah ! dit Fontane, je suis bien désolé, mais j'ai, depuis ce matin, promis de dîner avec Mme Garcia.

— Avec Lolita ?... Je serai très heureux de l'inviter.

— Vous êtes mille fois aimable, monsieur le Ministre. Hélas ! ce n'est pas possible. Je désire parler avec cette jeune actrice de projets fort importants : tournée en France, traductions...

Piqué, froissé, meurtri, Saint-Astier dit sur un ton lugubre :

— Il en sera comme vous voudrez, mon cher maître... Je ne suis pas ministre.

Un instant plus tard, Fontane fit un signe de tête à Dolorès et elle répondit par un froncement de sourcils affirmatif. Avec une prudence naïve qui ne trompa personne, il attendit, pour faire

ses adieux, qu'elle fût partie. Il la retrouva devant
la porte. La maison du Chargé d'Affaires se trouvait en bordure d'un grand bois d'oliviers, qui
étonnait au centre d'une ville. Les troncs noueux
étaient plantés régulièrement, à perte de vue. Les
feuillages verts, doublés d'un blanc presque
argenté, brillaient doucement au clair de lune.

— C'est d'une beauté toute grecque, dit Fontane. On dirait un de ces bosquets antiques où
erraient les poètes, ou peut-être quelque *lucus*
funèbre où les amants se retrouvent, aux Enfers.
J'ai l'impression que si nous nous enfoncions
dans ce verger bleuâtre, vous et moi, nous y
oublierions le passé et ne reviendrions jamais
sur terre. Le Léthé doit couler tout près d'ici...
Il roule des eaux bienfaisantes, ajouta-t-il mélancoliquement.

— Voici ma petite voiture, dit-elle. Montez,
Guillaume. Le jeune homme triste était, ce soir,
plus triste que jamais, n'avez-vous pas trouvé ?...
Ses fleurs étaient divinement bien arrangées et
pourtant il n'y a pas de femme dans la maison...

— Il était fâché, dit Fontane, parce que je
quittais sa fête pour vous suivre. Il a proposé
de nous garder tous deux à souper, mais je ne
voulais pour rien au monde être privé de ma
petite fugue avec vous.

— *Querido*, dit-elle en posant sa main sur celle
de Guillaume.

Elle prit le volant et démarra.

Le *Country Club* était un hôtel fleuri, dans le
style hispano-mauresque de Miraflores. Dolorès
avait retenu une table sur la terrasse. Il y avait

peu de monde. Fontane, assis en face d'elle, se sentit tranquille, détendu, heureux.

— Que voulez-vous manger ? demanda-t-il.

— Oh ! je mange si peu ! De préférence une viande rouge, saignante, avec un bon vin français.

Il pensa qu'elle avait les goûts de Wanda. Mais Wanda dévorait son steak comme une tigresse, tandis que Dolorès, après deux bouchées, abandonnait le sien et vidait verre sur verre de Bourgogne. Fontane l'interrogeait sur sa vie et elle décrivait la grande *estancia* où elle était née, les chevaux qu'elle montait à cru, les bestiaux qu'elle attrapait au lasso, un patio pavé de mosaïques et où chantaient des fontaines. Plus tard, elle était partie pour le couvent. Une religieuse française merveilleusement belle, Sœur Agnès, s'était attachée à elle et lui avait fait jouer *Esther*, ce qui avait déterminé sa vocation d'actrice.

— Après cela, j'ai été à l'affût des tournées françaises qui passaient par ici. J'avais peu d'argent, parce que j'étais la plus jeune d'une nombreuse famille et une sorte de Cendrillon. Une grande tragédienne espagnole, venue pour une saison, m'a donné des leçons gratuites. Elle me disait que j'avais du génie... Oui, elle employait ce mot, la chère femme... Elle m'adjurait de consacrer ma vie à l'art. Je vous ai déjà dit que j'ai... *como se dice ?*... une volonté de fer. Ma mère, restée veuve, nous avait tous ruinés en administrant mal le domaine. Il fallait vivre. J'ai appris les rôles de mon emploi et j'ai essayé, à dix-huit ans, de débuter au théâtre. Hélas ! J'ai vite découvert qu'une femme ne peut rien, dans nos pays, sans protecteurs. Un homme marié, pas très jeune mais beau, et qui m'en imposait par sa culture, patronnait la troupe. Il m'a prise pour maîtresse. Ah ! les hommes riches, Guillaume, je les hais ! Ils prennent au piège la chasteté, la beauté, la jeunesse ; ils en exigent des vertus qu'ils ne pratiquent pas... Vous connaissez les poèmes d'Alfonsina Storni ?

— De qui ?

— Alfonsina Storni... C'est une grande poétesse de ce continent... Elle a souffert des hommes et elle en a parlé avec une amère beauté... Ecoutez, Guillaume...

Elle passa ses longs doigts dans ses cheveux et, avec passion, récita :

> *Tu me quieres blanca,*
> *Tu me quieres casta,*
> *Tu me quieres nivea...*

— Traduisez, Lolita !

— « Tu me veux blanche, — Tu me veux chaste, — Tu me veux de neige, — Toi qui as eu toutes les coupes dans ta main, — Toi qui as les lèvres barbouillées de tous les fruits, — Tu prétends que je sois blanche (que Dieu te pardonne !) Tu prétends que je sois chaste (que Dieu te pardonne !)... » C'est tout un long poème ; je vous le dirai un autre jour... Mais voici l'idée : « Vous, les hommes, commencez donc par vous laver de toutes vos impuretés, et vous pourrez, hommes vertueux, exiger que je sois blanche, et que je sois de neige, et que je sois chaste... » *Bonito, no ?*... Je vous donnerai le volume ; je l'ai dans la voiture. Pauvre Alfonsina !... Pauvres nous !

Elle frémissait de ressentiment.

— Ensuite ? demanda Fontane, après un silence pendant lequel elle vida son verre d'un trait.

— Ensuite, dit-elle, j'ai travaillé et j'ai fini par vaincre. La souffrance est une route de vérité. Je suis devenue l'actrice dont les hommes de métier avaient besoin, et j'ai cessé d'être celle qui a besoin des hommes pour faire son métier... Je m'étais mariée, à vingt-deux ans, avec un acteur que j'avais cru grand et qui n'était même pas un homme. Je l'ai quitté. Depuis, j'ai vécu seule, pour mon art. Rien n'a compté pour moi que les personnages que j'interprétais... Voilà. Je suis devenue dure, forte et solitaire... Je vous ai tout dit, Guillaume, le bon et le terrible... Je vous fais peur ?

Elle le regarda et rejeta la tête en arrière, avec un sourire tendre.

— Peur ? Je n'ai jamais été plus heureux, dit-il.

— Commandez-moi une liqueur, dit-elle.

— Une liqueur *sauvage* ?

— *Si*.

5

Quand ils se levèrent de table, elle le conduisit vers un salon vide où brûlait un feu de bois. Ils s'assirent en deux fauteuils voisins. Fontane, dans une glace accrochée au mur, aperçut leurs deux visages et fut frappé par la soudaine jeunesse du sien. Ses yeux brillaient et un air de sérénité semblait effacer les deux plis profonds de sa bouche. Il ne sut jamais ce qu'il avait dit alors à Dolorès, peut-être qu'elle était la poésie même. Elle ne répondait rien et le regardait avec une douceur affectueuse, triste et ardente. A la fin il se tut et ils restèrent, sans parler, les yeux dans les yeux. De temps à autre, elle secouait la tête comme pour se dire « *Non* » à elle-même, puis plongeait à nouveau dans ce regard. Le feu pétillait ; les flammes chantaient. Fontane avait l'impression d'être hors du monde, dans quelque bulle enchantée, et ne pouvait arriver à se souvenir de la ville où il se trouvait. Plusieurs fois, elle ouvrit les lèvres comme pour parler, mais aucun son ne sortit. Enfin elle se pencha vers lui et, en souriant, dit, comme si c'était une chose très simple et sans importance :

— Je crois que je vous aime.

Il fut surpris, envahi par une joie torrentielle et, malgré lui, après un instant, murmura :

— Je vous aime aussi.

Elle ferma les yeux et dit : « Ah ! » comme si un coup venait de la frapper au cœur. Dans un éclair, Fontane perçut qu'il y avait en cet : « Ah ! » du bonheur, de la surprise, de l'adoration, de la souffrance. « Quelle grande actrice ! » pensa-t-il. Un valet entra, pour surveiller le feu. Dolorès parut sortir d'une transe et se leva vivement :

— Allons prendre l'air, dit-elle.

Au-dehors, la lune était couchée. Les étoiles brillaient, dans un ciel bleu noir. Fontane chercha la Croix du Sud ; elle la lui montra. Ils retrouvèrent la voiture et y montèrent. Avant de se mettre en marche, elle se tourna vers lui et offrit ses lèvres.

— *Como te quiero,* dit-elle.

Ils partirent. Fontane pensait : « Ceci est absurde, mais délicieux. » Il pensait aussi : « Les Espagnols disent : « *Te quiero* », je te veux, et non : « Je t'aime ». Symbole ? Il ne savait où ils étaient, ni où ils allaient. Des jardins fleuris, une route bordée d'ajoncs, puis une plage s'esquissaient vaguement dans la nuit. Au bord de la mer, Dolorès s'arrêta et, cette fois, ils s'embrassèrent très longtemps. Puis elle prit entre ses paumes le visage de Fontane et dit :

— J'ai l'impression d'avoir dans mes mains tout le bonheur du monde.

Tout au fond de lui, une voix imperceptible souffla : « Titania ».

— A quoi penses-tu ? dit-elle.

— Eternelle question de toute femme à tout homme.

— Parce que les hommes ne disent jamais ce qu'ils pensent... Je suis toute à toi ; tu n'es pas tout à moi... *nunca seras todo mio.*

— Comment serais-je tout à toi, Lolita ? Je suis un vieil homme chargé de souvenirs. J'ai un pays, une femme...

— Je te *défends* de me parler de ta femme, dit-elle durement.

Mais l'instant d'après, elle se jeta de nouveau dans ses bras.

— Chante-moi une de tes chansons arabes, dit-il, de cette voix qui me fait mal et plaisir.

— Elles ne sont pas arabes ; elles sont andalouses. Ecoute...

105

Les lèvres toutes proches de celles de Guillaume, elle chanta, très bas, de sa voix de gorge, aux dissonances déchirantes. Ils restèrent ainsi pendant des minutes, ou des heures. On n'entendait que le bruit, monotone et doux, des petites vagues.

— La bouche ironique de la mer, dit Dolorès.

Enfin Fontane soupira :

— Je crois, hélas, que je dois rentrer... *Ovidius Naso* va me faire chercher dans toute la ville.

— Est-ce qu'il te surveille, même la nuit ?

— Non, mais il a dû être inquiet de ne pas me trouver à l'hôtel. Et puis je parle demain...

— N'es-tu pas plus dispos après une nuit d'amour ? Moi, si... J'aime percer la nuit... Mais si tu l'exiges, je vais te ramener.

La voix était triste, déçue. Quand ils arrivèrent devant le *Bolivar*, elle murmura, en passant son bras autour des épaules de Fontane :

— Veux-tu que je monte te dire bonsoir ?

Il hésita un instant :

— Ne me tente pas, *querida* (il risqua le mot timidement). Tu ne pourrais m'aimer longtemps. Je serais jaloux, malheureux... Et puis j'ai juré à ma femme...

— Oh ! encore ta femme ! dit-elle avec irritation. *Buenas noches, maestro.*

Il voulut l'embrasser ; elle détourna la tête. Dès qu'il fut sorti de la voiture, elle démarra d'un coup sec. Quand il passa devant le bureau de l'hôtel (dont les clefs pendues à d'innombrables clous le firent penser aux *ex-voto* de l'église baroque), le portier de nuit tendit une lettre. Il l'ouvrit dans le hall ; elle était de **Pauline**. Lettre froide et presque impersonnelle, écrite à la machine. Résumé du courrier ; récit d'un dîner chez les Larivière et d'un autre chez les Saint-Astier : « Ils m'ont dit que leur fils est conseiller d'ambassade au Pérou ; ainsi j'aurai par eux, un peu plus tard, des nouvelles de vos conférences liméniennes... »

— Eh bien, pensa Guillaume, pourvu que celui-là ne jase pas !... Mais que pourrait-il dire ? Il n'y a rien et il n'y aura, hélas, rien de plus.

Dès qu'il fut dans sa chambre, il se coucha et ne put s'endormir. Il revoyait toute cette soirée comme un rêve, qui se terminait en cauchemar. Il croyait sentir ce corps souple blotti dans ses bras, ces boucles blondes frôlant sa joue, cette bouche docile à la sienne. « Dieu ! pensa-t-il, que j'ai été sot ! Si je l'avais voulu, elle serait en ce moment étendue près de moi. Elle serait à moi et me dirait des choses émouvantes, avec sa poésie tendre et tragique. Comment ai-je renoncé à ces heures qui eussent été uniques dans ma vie ? »

Il se souvint d'une femme qui lui avait dit jadis : « Ah ! fou qui ne sait cueillir l'instant ! »

« Et pourquoi ? Par loyalisme envers une femme qui, sans doute, n'attache plus aucune importance à notre vie sentimentale puisque, séparée de moi, elle m'écrit une lettre glaciale, sans un mot de tendresse, hors la formule finale, qui est de style... Certes, j'aime Pauline, mais est-ce ma faute si elle a tant changé ?... Et en quoi Pauline eût-elle été lésée si j'avais passé, avec cette divine créature, une nuit merveilleuse et sans lendemain ? Car tout de même, je pars dans deux jours. Ah ! insensé qui ne sait cueillir l'instant ! »

Fiévreux, il cherchait en vain un coin frais dans ce lit brûlant.

« Cueillir l'instant ? Qu'est-ce que cela veut dire ? L'instant ne peut être isolé. Si j'avais goûté à ces délices, j'aurais voulu les retrouver. Je serais revenu dans ce pays, ou bien j'aurais appelé Dolorès en France. J'aurais poursuivi cette fille de théâtre à travers le monde. M'aurais-tu alors supporté, Lolita ? Tu aimes percer la nuit ; je ne saurais. De jeunes hommes seraient venus, qui t'eussent emmené danser. Tu m'aurais bientôt proposé ton amitié, ton affection. Ayant connu ton amour, je les aurais refusées, alors qu'aujourd'hui, ce que tu m'as donné et qui ne fut qu'un songe innocent, me semble d'un prix infini. »

Puis il se rabroua : « Quelle lâcheté ! se dit-il. Cette crainte de souffrir... Elle, au contraire, quel courage simple dans le don ! Et pourquoi ? Que puis-je pour elle ? Je pars après-demain pour toujours... M'aurait-elle vraiment aimé ? Ce n'est pas vraisemblable... Et pourtant... »

Il alluma et tenta de lire. Lolita avait glissé dans sa poche un petit volume de vers ; il alla le chercher, l'ouvrit au hasard et fut stupéfait de comprendre sans effort cette poésie espagnole. « Est-ce un miracle gitan ou bien n'avais-je jamais essayé ? » Le titre d'un sonnet attira son attention. *Réponse de la Marquise aux stances de Corneille.* Etrange coïncidence.

Marquise, si mon visage
A quelques traits un peu vieux,

108

> Souvenez-vous qu'à mon âge
> Vous ne vaudrez guère mieux...

Le sonnet était beau, le thème amer : « Tu me dis, grand poète, que ma beauté passera et que mon nom sera vite oublié si, en échange des strophes, immortelles, qui me chantent, je n'accepte un baiser de ta vieille bouche... As-tu foi si aveugle en la vie de tes vers ? »

— *Un baiser de ta vieille bouche*, répéta-t-il et il se fit horreur.

> Je suis femme avant tout et le présent
> [m'enchante ;
> Pardonne-moi si, plus qu'aux grands airs que tu
> [chantes,
> Je me plais aux baisers joueurs d'un jeune corps.

Il se dit qu'en lui donnant ce bréviaire de désenchantement, Dolorès avait placé le remède près du mal. Combien elle devait, en ce moment, le haïr ! La reverrait-il même avant le départ pour Bogota ? Se tournant et retournant, il composait une lettre pour elle : « *C'est parce que je vous ai trop admirée que j'ai osé vous refuser...* » Non, tout mot qui impliquerait offre et refus serait offensant... Feindre de n'avoir pas compris ? Ou ne rien écrire et tâcher d'oublier ? Hélas ! oublie-t-on jamais de telles heures ? Il ne s'endormit qu'à l'aube.

Le lendemain matin, avec son petit déjeuner, lui fut apportée une note de Petresco : « Maître, je vous ai attendu cette nuit jusque deux heures du matin. J'avais *absolument* besoin vous voir, parce qu'il y a changement dans le programme. Le comité de Bogota, il a téléphoné je dois venir tout de suite pour questions urgentes, au sujet du théâtre. Donc il *faut* partir (moi seul) *aujour-d'hui* et avion décolle à six heures. Je vais dormir trois heures. Vous, maître, me rejoindrez comme convenu, par air, demain matin. Votre billet est chez le concierge ; aussi passeport, visa, tout. Maître, je vous *supplie* ne pas vous laisser retenir par *qui que ce soit*. Ma réputation est engagée, la salle louée, les affiches posées, les fauteuils vendus d'avance... Votre deuxième conférence à Lima : cet après-midi, six heures trente, au *Théâtre National*. Hernando Tavarez, il est au courant de tout. Ne vous couchez pas tard parce que devrez quitter hôtel Bolivar demain matin, cinq heures, pour aéroport. Si vous ne partez pas, je suis déshonoré. Respectueuses salutations. — Ovide Petresco. »

Fontane fut fort alarmé à l'idée de voyager seul. Il ne le faisait jamais en France, où Pauline avait toujours pris soin pour lui des billets, formalités et porteurs. « Pauvre Pauline ! soupira-t-il, tyrannique et irremplaçable ! » Puis il se mit à revivre en pensée l'extraordinaire soirée de la veille :

« Hélas ! je n'en saurais douter, je suis amoureux... »

Il trouvait cette idée tout à fait ridicule et ne pouvait s'en détacher. Pourquoi cette fille merveilleuse s'était-elle offerte à un vieil homme ? Il alla naïvement se regarder dans la glace et fut surpris par le visage heureux qu'il y vit : « Faust ? pensa-t-il. Devrais-je traiter avec le Diable ?... Trop tard !... J'ai commis, hier soir, la faute irréparable de refuser ce que je désirais le plus au monde, et je pars demain ; c'est fini... *La bouche ironique de la mer*, disait-elle... Et ce tutoiement si doux... » A d'autres moments, il pensait : « C'est mieux ainsi. De toute manière, mon départ eût mis fin à l'enchantement. Au moins pourrai-je revenir à Pauline avec un esprit sans détour. »

Il était en robe de chambre et avait commencé à faire ses valises quand le téléphone sonna. Etait-il possible qu'elle eût compris, pardonné ? Il courut à l'appareil. C'était la Légation de France :

— Monsieur Fontane ?... Un instant. M. le Chargé d'Affaires de France vous parle...

Il évoqua la drôlerie avec laquelle Dolorès disait : « *El Señor Encargado dos Negocios.* » Puis la voix de Saint-Astier :

— Mon cher maître, on m'apprend que votre impresario est parti ce matin... Vous êtes seul. Voulez-vous me dédommager pour le souper d'hier soir et déjeuner avec moi ?

Il prit un temps, puis ajouta :

— J'ai invité Lolita Garcia et quelques-uns de ses amis.

— Et elle a accepté ? demanda Fontane, avec

une anxiété qui dut paraître comique au jeune Saint-Astier.

— Comment n'aurait-elle pas accepté ? répondit le diplomate avec quelque ironie, quand je lui avais dit que le déjeuner était improvisé en votre honneur ?... Je puis compter sur vous ?

— Certainement, monsieur le Ministre... Vous êtes la bonté même.

— Alors une heure trente, mon cher maître... Je ne suis *pas* ministre.

Une joie extraordinaire, mêlée d'inquiétude, avait envahi Guillaume Fontane. Ainsi elle avait consenti à le revoir. N'était-ce pas pour lui témoigner son mépris ? « Peu importe, se dit-il. L'essentiel est de jouir une fois encore de cette grâce unique. Sa colère même doit être belle. » Il passa la matinée à lire les poèmes qu'elle lui avait laissés et qu'il jugea fort beaux, sans bien démêler s'il admirait la poétesse ou la donatrice. A une heure, il prit un taxi et refit avec émotion le chemin jusqu'au bois d'oliviers.

Les hôtes de Saint-Astier étaient un ménage de la Légation, très « carrière » ; le recteur de San Marcos et sa femme; Hernando Tavarez et l'aimable Marita. Fontane vit avec inquiétude que Dolorès n'était pas là. Elle arriva fort en retard et s'excusa en disant qu'elle avait été retenue par des formalités de visa.

— De visa, Lolita ? Tu quittes le pays ? demanda Tavarez.

— Je dois aller à Bogota pour mettre en scène l'*auto sacramental* que nous avons donné ici... Il en était question depuis un mois et j'ai eu le télégramme ce matin... Je prendrai l'avion demain.

— Mais moi aussi, dit Fontane étonné. A six heures du matin.

— A six heures du matin. Quelle joie, *maestro*, de faire ce voyage avec vous ! dit-elle avec un naturel parfait.

— C'est en effet, dit Saint-Astier, impassible, une heureuse coïncidence. Nous étions un peu inquiets de voir M. Fontane, qui ne parle pas l'espagnol, voyager seul... Vous allez être son interprète, Lolita. Nous vous le confions.

Elle fit une petite révérence.

— *Señor Encargado dos Negocios*, je suis à vos ordres.

— Je suis d'autant plus satisfait, continua Saint-Astier, que Mme Fontane a dîné chez mes parents, à Paris, la semaine dernière, et m'a fait transmettre des recommandations au sujet de la santé de M. Fontane... Votre foie n'a pas été affecté, mon cher maître, par notre climat ?

— Point du tout, dit Fontane, je ne me suis jamais senti mieux.

— Je ne sais si vous avez vu, demanda Tavarez, que nos journaux s'étonnent de votre jeunesse.

Lolita ne regardait pas Guillaume mais, en passant à table, se trouvant à côté d'elle, il lui demanda très bas :

— Vous ne m'en voulez pas ?

C'était la phrase la plus maladroite et il le sentit en la prononçant, mais Dolorès répondit avec une surprise qui parut sincère :

— Moi ?... Et de quoi vous en voudrais-je, Guillaume ?

Après le déjeuner, très gai et où Fontane brilla

en racontant son voyage au Brésil et en Argentine, Lolita qui avait, à la requête du *Señor Encargado dos Negocios*, apporté sa guitare, chanta. Guillaume Fontane ne comprenait pas les paroles, mais elle le regardait et semblait les lui adresser. Saint-Astier et Marita échangeaient d'imperceptibles sourires que Lolita saisit, mais non Fontane. Quand le Recteur et sa femme prirent congé, Saint-Astier offrit de reconduire Fontane au *Bolivar*. Il n'osa pas refuser.

— Alors à demain matin ? dit-il à Dolorès.

— Oui, six heures à l'aéroport, à moins que vous ne vouliez que je vienne vous prendre à l'hôtel ?

— Permettez-moi, mon cher maître, dit Saint-Astier, de vous envoyer la voiture de la Légation.

— Merci, monsieur le Ministre, j'accepte... Je ne veux pas compliquer le départ de Mme Garcia.

En rentrant à l'hôtel, il trouva trois paquets avec une carte de Dolorès Garcia. C'était un étrier de femme en argent, ancien et dessiné avec goût ; le *Théâtre* de Federico Garcia Lorca, et une photographie de Lolita, drapée dans ses voiles d'âme errante, avec cette dédicace : « A Guillaume Fontane, la *compañera*. » Il fut ému qu'en un jour de départ, elle eût pensé à réunir tant de choses qui pouvaient lui être agréables. « Et ce voyage dont elle n'avait jamais parlé, pensait-il tout en essayant vainement de boucler ses valises, l'a-t-elle improvisé pour m'accompagner ?... » Quelle était donc sa phrase, en sortant de l'église ? *« Le Destin nous pousse, à petits coups, dans ce grand monde inconnu... »* Il me semble qu'elle aide singulièrement le Destin... Et pourquoi ? Que veut-elle de moi ? »

Le Recteur avait parlé, pendant le déjeuner, de Quichotte et de Pança, aspects éternels de l'Espagne. « Il y a en moi, se disait Fontane, un Sancho qui se méfie de cette miraculeuse aventure, qui a peur d'être un barbon tout à fait ridicule aux yeux du Jeune Homme Triste, et plus peur encore de ce que celui-ci va écrire en France... Et puis il y a un Chevalier romanesque, qui garde un cœur de vingt ans et se laisserait aller avec bonheur au vent de passion qui l'emporte... A la grâce de Dieu ! Nous verrons bien... »

L'heure était venue d'aller au Théâtre National. Il y trouva Tavarez, Saint-Astier et un public assez nombreux ; Lolita n'était pas dans la salle ; cela semblait naturel ; elle avait, elle aussi, des préparatifs à faire. Pourtant il en fut attristé et tout le monde pensa qu'il avait moins bien parlé que la première fois. Il prit congé de Saint-Astier, qui s'excusa de ne pas le saluer le lendemain, à l'aéroport en raison de l'heure matinale, et il revint à l'hôtel pour achever ses bagages. Il luttait avec l'étrier d'argent, fort difficile à emballer, quand la grêle sonnerie du téléphone le fit bondir.

« Dolorès, pensa-t-il, ah ! elle ne viendra pas... » C'était Dolorès.

— *Buenas noches, querido.* Dors bien et fais de beaux rêves. Je ne voulais te dire que ceci : *Seras mío y soy tuya.* Tu comprends, *no ?*

Le miracle fut qu'il comprit. Déjà elle avait raccroché.

« Tu seras à moi ; je suis à toi. » Il ne venait

pas à cette aventure inattendue d'un cœur léger. Après l'expérience Nedjanine, il s'était juré d'être fidèle. Et voilà qu'il acceptait une situation dangereuse, ambiguë, où la sincérité totale ne pourrait jamais trouver place. L'avait-il voulu ? Il ne savait plus, se répétait : « A la grâce de Dieu », et s'endormit.

7

Le champ d'aviation était encore enveloppé de nuit. On voyait seulement briller les lumières tremblotantes qui bordaient les pistes d'atterrissage, et les feux de position de quelques avions épars. Un porteur indien prit les valises de Fontane et prononça des mots incompréhensibles. Il chercha des yeux Dolorès. Elle n'était pas encore là.

« Bogota », répétait-il au jeune employé du comptoir, en uniforme gris bleu, quand une main se posa doucement sur son épaule. La voix de Dolorès le caressa :

— *Buenos dias*, Guillaume... Puis-je vous aider ?

Aussitôt il abdiqua et la laissa disposer de lui. Les jeunes hommes galonnés semblaient tous être des pages aux ordres de Dolorès Garcia. La Douane ne regarda pas les bagages. Le contrôle des passeports salua. Le chef de l'aéroport dit, avec empressement, à l'hôtesse de marquer deux places voisines, en arrière des ailes.

— Vous semblez populaire ici, dit Fontane à Lolita. Cela n'est pas pour m'étonner, mais votre pouvoir tient du miracle.

— Ils m'ont tous vue, dit-elle gaiement, dans un rôle ou l'autre. Je leur donne des places de théâtre. Ils sont reconnaissants.

Puis s'approchant de lui et fronçant le nez :

— Tu ne me tutoies plus ?

Rien n'était changé. Le haut-parleur appela les passagers pour Quito, Cali, Bogota. Un instant plus tard, il était assis près d'elle, dans l'avion, et les hélices ronflaient. Plus que jamais, il avait l'impression de rêver. Partait-il en voyage de noces avec une fée, en plein ciel ? Derrière eux, un couple liménien connaissait Lolita et l'interrogea sur son voyage. Elle présenta Guillaume Fontane. La passagère avait assisté aux conférences et dit :

— Je vous avais bien reconnu.

— Pauvre Guillaume, murmura Dolorès malicieusement, tu ne peux voyager incognito... Je te compromets.

De l'autre côté de la travée, un prêtre lisait son bréviaire et, malgré lui, jetait à la dérobée des coups d'œil sur Dolorès.

— Tu lui donnes des distractions, dit Fontane.

— Et comment vais-je *te* distraire ?

— Moi ? Je pourrais vous regarder en silence pendant toute ma vie... Je serais parfaitement heureux.

— Ah !

C'était ce qu'il appelait le « Ah ! » du coup au

cœur. Puis elle corrigea : « *Te* regarder », et Guillaume s'excusa.

Elle se serra contre lui :

— Comme je suis bien ! dit-elle... Il me semble que je t'ai toujours connu...

— L'amour, dit-il, crée, comme par magie, les souvenirs d'un passé merveilleux, qui ne fut point.

Derrière eux, le couple liménien les observait et chuchotait. Au moment où l'avion décolla, Dolorès fit le signe de la croix.

— Je ne veux pas mourir *avant*, dit-elle. A Bogota, nous habiterons le même hôtel : le *Granada*.

— Comment le sais-tu ?

— J'ai téléphoné.

— Nous pourrons nous faire des visites, dit-il timidement.

Elle le regarda d'un air tendre :

— J'y compte bien... Pas ce soir, parce que nous arriverons tard et serons épuisés, mais demain. Surtout n'accepte pas ce soir-là, *notre* soir, un dîner officiel. Cette fois, je ne te le pardonnerais pas. Et il ne faut pas me braver, tu sais !... Je suis gitane, je connais de terribles malédictions.

Son visage mobile avait soudain pris une expression tragique et menaçante. Il rit :

— Tu crois à ces choses ?

— Ne ris pas, dit-elle nerveusement... Si jamais tu cesses de m'aimer...

Puis, sans transition, elle fut de nouveau caressante et gaie. Elle parla des pièces qu'elle avait jouées :

— Tu ne peux imaginer, dit-elle, à quel point

un rôle me transforme. Pour huit jours, quinze jours, je deviens le personnage. Quand j'étais la Silvia de Benavente, tu sais, dans *Los intereses creados*, je me sentais, même à la ville, une jeune fille pure et douce. Quand j'ai joué *Tessa* de votre Giraudoux, j'ai été légère et mélancolique ; *Yerma*, je me suis sentie capable de tuer... Si tu veux que je devienne exactement la femme que tu souhaites, écris un rôle pour moi. Tu tireras de ta chair et de ton sang une Lolita selon ton cœur, tu comprends ? Et moi, je la vivrai pour toi... Mais l'auteur dont je me sens le plus près, c'est Federico. Lui, il a compris que la femme espagnole est plus mère qu'épouse, plus mère qu'amante. Elle veut un fils qui puisse continuer le sang et, au besoin, assurer la vengeance. A ses yeux, le pire drame est la stérilité. Elle s'accroche au père qu'elle a choisi pour son futur enfant.

Prenant soudain la main de Fontane avec passion, elle lui enfonça ses ongles dans la peau :

— Je voudrais un fils de toi, Guillaume !

Fontane, stupéfait, un peu effrayé, ne répondit pas. Le soleil se levait. Par le hublot, on apercevait un désert de sable rose ; au-delà, l'Océan.

— La morale de vos pays, dit Fontane après un assez long silence, procède à la fois des Maures et de l'Eglise catholique. L'Eglise suspecte le plaisir et loue la procréation. Pour que le Seigneur soit adoré, il faut qu'il y ait des créatures.

— *Claro que si*, dit-elle gravement.

La température, dans l'avion, montait. Dolorès pencha sa tête vers l'épaule de Fontane et s'endormit. Il était heureux et gêné. Le jeune prêtre coulait des regards surpris vers cet étrange couple. Derrière eux, Fontane entendit le ménage péruvien, ami de Dolorès, discuter à voix basse, en espagnol, et plusieurs fois, non sans inquiétude, il saisit son propre nom.

— Il faudrait, pensa-t-il, effacer en moi toute trace d'instinct social et jouir de ce merveilleux abandon... L'étrange fille ! Géniale et naïve...

Elle ouvrit les yeux quand l'avion, aux approches de Quito, descendit :

— Tu connais Quito ? *No* ? C'est dommage. J'aimerais te montrer la ville.

Pendant l'escale, des journalistes, alertés par Petresco, vinrent interviewer Fontane ; Dolorès traduisit.

— Et vous ? lui demandèrent-ils. Qui êtes-vous ?

Elle répéta la question à Fontane :

— Que faut-il répondre ? dit-elle. La secrétaire ? La *compañera* ?

Il leva les bras vers le ciel :

— Ah ! non, tout de même !... Dites la vérité : que nous ne voyageons *pas* ensemble ; que nous nous sommes rencontrés, par hasard, dans l'avion; et que vous avez eu la bonté de venir au secours d'un pauvre ignorant qui ne sait pas l'espagnol.

— Guillaume, dit-elle, en le menaçant du doigt, tu as honte de moi !

— Non, mais j'ai peur des journalistes... Tout de même ! Si un écho était envoyé à Paris...

— Et si l'on y disait qu'une jeune femme t'aime, tu serais déshonoré ?... C'est ça, *no* ?... Ils sont bizarres, tes amis français !

Elle expliqua aux reporters qu'elle allait à Bogota pour son propre compte et se nomma. Ce furent alors des exclamations admiratives :

— Dolorès Garcia ! Mais oui, bien sûr, nous vous avons applaudie cent fois... Nous ne vous avions pas reconnue... L'optique de la scène... Vous êtes encore plus jolie de près que de loin...

Elle les intéressait plus que Guillaume Fontane et le reste de l'escale se passa en conversations animées entre ces jeunes hommes et l'actrice. En remontant dans l'avion et en s'asseyant à côté de Fontane, elle aida celui-ci à mettre sa ceinture dont il ne pouvait trouver l'une des moitiés :

— Pauvre Guillaume ! Que ferais-tu sans moi ? Sais-tu que l'un de ces garçons avait écrit : « *La belle actrice qui embellit l'automne du romancier...* » Heureusement, je l'ai vu et l'ai fait effacer. Qu'aurait dit Paris ?.... Et que dira Paris, si jamais j'y viens ? Guillaume, tu sais que c'est mon plus vif désir... *Mira, querido...* J'ai tant pensé à Paris, étudié le plan, regardé les images que, si j'y allais, je n'aurais besoin d'aucun guide... Ecoute, mon hôtel serait sur la place Vendôme...

— Bonne idée, dit-il.

— Quand je sortirais de cet hôtel, je tournerais à droite dans la rue de la Paix...

— Non, dans la rue de Castiglione, mais vous ne vous trompez guère : l'une est la suite de l'autre.

— *Tu* ne te trompes guère, corrigea-t-elle... Alors j'arriverais rue de Rivoli. De là, sous les arcades, en face du jardin des Tuileries, je gagnerais la place de la Concorde. Je verrais la Seine, les Champs-Elysées, et un soleil de printemps très léger... Peut-être j'irai Faubourg Saint-Honoré, pour étudier les vitrines... J'aurai envie de tout.

— Et il y aura près de toi, dit-il, un vieux monsieur très amoureux qui t'achètera tout.

— Il ne sera *pas* vieux, Guillaume ; je ne veux pas que tu dises du mal de mon amant... Il aura écrit pour moi une pièce, qu'on jouera au théâtre des Champs-Elysées et, le lendemain, je serai célèbre dans toute l'Europe... *Es bonito no ?*

De tels enfantillages les amenèrent à Cali, sans qu'ils eussent même remarqué la chaleur équatorienne qui avait plongé tous les autres passagers dans la torpeur. Là ils prirent un avion plus petit pour Bogota. Ce vol fut beau, mais effrayant. L'appareil effleurait des pics, se glissait entre des parois de rochers, franchissait des chaînes toujours plus hautes.

— Bogota est à plus de dix-huit cents mètres, dit-elle. La dernière fois que j'y ai été, j'avais peine à jouer les rôles durs ; j'étais essoufflée.

A l'atterrissage, deux groupes les attendaient. Pour Fontane étaient venus Petresco, un secrétaire d'ambassade français, et un représentant du ministère des Affaires étrangères colombien : Manoel Lopez ; pour Dolorès Garcia, le directeur du théâtre, des comédiens, des auteurs dramatiques qui, tous, l'embrassèrent en lui donnant dans le dos des coups amicaux du plat de la main :

— *Que tal, Lolita ?*

A chaque instant, le bref éclair d'un *flash* révélait un photographe embusqué. Petresco, ardent et affairé, organisait une conférence de presse au *Granada*, malgré les protestations de Fontane, qui se disait recru de fatigue.

— Cinq minoutes, maîtré... Manoel Lopez, il

nous emmène dans sa voiture... Il féra l'interprète.

— Et Mme Garcia ?

Ovide parut impatient et tout hérissé de reproches :

— Lolita ? Ah ! Maîtré, maîtré, né vous occoupez plous dé Lolita ; elle a dé les hommes ici pour s'occouper d'elle.

Ce qui jeta le trouble dans l'âme de Fontane. Le jeune secrétaire français était porteur de messages, pour l'inviter à déjeuner, et à dîner, le lendemain qui était un dimanche. Il dit qu'il lui fallait prendre un jour de repos total, et qu'il priait l'Ambassadeur de remettre la première réception au lundi soir.

— Ah ! maîtré, maîtré ! soupira Ovide. Jé sais cé qué séra cette répos total !

Dans la voiture, Manoel Lopez, qui était un poète, récita du Baudelaire. « Tu verras, avait dit Lolita, en Colombie, on parle plus de poésie que de politique. » Dès ce premier soir, Fontane découvrit que c'était vrai.

8

Il dormit du sommeil profond et sans rêves que procure la fatigue. Il se réveilla tout allègre, animé par l'air vif des hauteurs. Au-dehors, les cloches des églises sonnaient pour annoncer les messes du dimanche. Il ouvrit les volets, vit une grande place, des foules matinales qui prenaient d'assaut les tramways et, au-delà des toits, un cirque de hautes montagnes, barrées de nuages violets. Deux pièces formaient son appartement : une chambre à coucher, simplement meublée d'un large lit de cuivre, d'une commode, d'un fauteuil, et un salon plus vaste, avec une table de travail et un grand canapé. Sa première pensée fut : « Parfait. Je pourrai recevoir Dolorès dans mon salon, sans que cela fasse scandale. »

Où était-elle, la *compañera* ? Il eut envie d'entendre sa voix et regarda l'heure. Elle devait être réveillée. Comment le savoir ? Il décrocha le téléphone et demanda, au *standard* de l'hôtel, si quelqu'un parlait français.

— *Francés* ? dit une voix de femme... *Momento*.

Un homme vint à l'appareil. Fontane demanda si la señora Dolorès Garcia était à l'hôtel et si on pouvait l'appeler. Il apprit qu'elle occupait la chambre 19 et, une seconde plus tard, entendit sa voix endormie et caressante :

— *Quién habla !*... Oh ! c'est toi, Guillaume ?... Bonjour, mon amour... Oui, tu m'as réveillée en sursaut, mais c'est très bien... J'aime que ta voix me réveille... Tu es prêt ? *No ?* Moi non plus, pas du tout !... Je suis nue. Donne-moi une petite heure pour prendre mon bain, défaire mes valises, m'habiller, et puis j'irai frapper à ta porte... Tu entends toutes ces cloches, mon amour ? *Bonito, no ?*... Je dois aller à la messe. Tu viendras avec moi... *Hasta pronto !*... A tout de suite.

Une heure plus tard, des coups légers furent

frappés à la porte du salon. Guillaume alla ouvrir et vit Dolorès, les cheveux enveloppés d'une mantille, fraîche et mutine :

— Je peux entrer un instant ?

La porte refermée, elle se jeta dans ses bras.

— Tu es superbe ce matin, dit-elle. Tu as chaque jour dix ans de moins... Maintenant il s'agit d'organiser notre journée. Tu es libre ?

— *Je suis maître de moi comme de l'univers...* Et même un peu plus... Cela n'a pas été sans peine... *Ovidius Naso* est très fâché. Il avait préparé, pour moi, tout un programme. Ah ! Il ne t'aime pas !

— Il m'aimerait si je voulais, dit-elle, en montrant ses incisives blanches. Qu'il prenne garde à lui, celui-là ! Enfin, tu es libre... Alors, *mira*, Guillaume. Voici ce que je propose. Nous allons à la messe ensemble. Ensuite nous nous promenons dans la ville et nous allons déjeuner chez Doña Marina... C'est une... *como se dice ?*... pas exactement un restaurant...

— Une taverne ?

— Oui, peut-être... Enfin une auberge espagnole dont la patronne est charmante. Là vont manger les artistes, les poètes, les *toreros*... Ne ris pas, je te défends ; les *toreros* sont des poètes... Il y aura cet après-midi, ici, à Bogota, une corrida *mano a mano*, donc avec deux *toreros* seulement... On m'a dit hier soir qu'ils passent pour très bons; deux Espagnols... J'aimerais que tu m'y conduises. Tu fais la grimace, mon amour ?

— Je n'aime guère les taureaux et j'espérais passer la journée seul avec toi, ici.

— *Como te quiero !* Cette nuit, nous serons

seuls, je te le promets, mais je tiens à voir une *corrida* avec toi, comme j'aimerais jouer du Lorca devant toi... Je t'ai déjà dit que, pour moi, la *corrida* est un plaisir sensuel, *no ?* Après le dîner, nous ferons tout ce que tu voudras.

Marcher à côté d'elle, dans la rue, fut un bonheur. Elle s'accrochait à son bras, esquissait un pas de danse, s'arrêtait devant une vitrine, puis fendait une foule sombre, monastique, mantilles et jupes noires. Les fenêtres aux grilles bombées rappelaient Lima et Séville. Le flot des voitures et des piétons submergeait les rues étroites. Les hommes regardaient beaucoup Lolita. A l'église, il s'étonna de la voir se jeter à genoux sur les dalles et rester là, prosternée. Quand elle se releva, il observa qu'elle avait les yeux pleins de larmes. A la fin de la messe, elle alla encore faire ses dévotions à la chapelle de la Vierge, toute or et chamarrures, et voulut frotter à une châsse des clefs, qu'elle tira de son sac.

— Il faut, dit-elle gravement, faire bénir les clefs pour qu'elles ouvrent les portes sur le bonheur, sur le salut... Tu ne savais pas ça ?

Doña Marina était une Espagnole, expatriée pour des raisons mal définies ; elle avait grand air. Elle traita l'étranger et l'actrice fameuse en couple d'amoureux, ce qui rassura Fontane : « Je n'ai donc pas l'air d'être son père », pensa-t-il. Lolita et l'hôtesse gazouillaient en espagnol, si vite qu'il ne saisit pas un mot. Sur une phrase de Lolita, la patronne le regarda d'un air approbateur et lui adressa quelques mots.

— Elle dit que tu as de la chance mais que, moi aussi, j'ai bien choisi.

126

La *Plaza de Toros* ressemblait à celles de l'Espagne. De longues files d'hommes et de femmes assiégeaient les guichets. Lolita conduisit Fontane à un personnage qui, un peu à l'écart, vendait, fort cher, des places réservées.

— J'aime à être assise très bas, dit-elle, et à voir chaque geste. Toute la beauté est dans le jeu des pieds, des hanches.

Elle avait pris deux places côté ombre. En face, côté soleil, une foule populaire grouillait, piquée de couleurs vives. Un orchestre bruyant jouait des airs de danse. Au-delà de l'arène, on voyait les montagnes, cônes rocheux séparés par des pentes vertes et barrés de nuages, qui passaient du rose au violet. Au sommet d'un pic brillait, paradoxal, inattendu, lumineux et aérien, le blanc profil d'une église.

— Le Monserrate, dit Dolorès.

Quand le *paseo*, encadré d'alguazils, entra pour aller, avec les saluts traditionnels, demander au président les clefs du toril, elle posa, sur celle de Guillaume, une main qui tremblait de joie.

— Oh ! je suis contente, dit-elle.

Fontane vit avec soulagement qu'il n'y avait pas de picadors. La boucherie des chevaux éventrés lui serait épargnée. Cela rendait la mise à mort plus difficile, mais les toréadors étaient bons et les taureaux médiocres. Un groupe d'*aficionados*, côté soleil, poussait des cris collectifs et rythmés. Après le premier taureau, quand le matador, très applaudi, fit son tour de piste en saluant, des hommes lancèrent leur chapeau dans l'arène. Lolita, très excitée, criait.

— Si tu avais un collier de perles, dit Fontane, tu le lui jetterais ?

— Oui, dit-elle, j'aime le courage.

— Et tu n'as pas horreur du moment où un premier flot de sang sort des narines de la malheureuse bête ?

— Horreur ? J'adore ça ! Regarde Rodriguez... Il est beau, ce garçon, avec son profil dur.

Le second taureau se défendit mieux et elle cria : « *Bravo, toro !* » Elle avait lié conversation, en espagnol, avec ses voisins de gradin qui, reconnaissant en elle une compétence, lui parlaient avec passion. Soudain, comme Rodriguez venait de tuer son second taureau (le troisième de la course), elle porta la main à sa poitrine et dit, d'une voix altérée :

— Emmène-moi, Guillaume... Je ne suis pas bien.

Il fut effrayé, se leva et la soutint. Un soldat fit ouvrir la foule. Quand ils furent dehors, sur la place nue et ensoleillée, elle s'appuya un instant au mur. Au-dessus d'elle, les nuages éclairés par le soleil semblaient des feux de paille sur les Andes.

— N'aie pas peur, dit-elle, ce n'est rien. Cela m'est arrivé déjà, dans cette même ville. L'altitude, peut-être aussi la poussière de l'arène, l'odeur des taureaux...

— Mais qu'est-ce, Lolita ? Le cœur ?

— Non, pas le cœur. Une sorte d'asthme nerveux... J'ai un remède avec moi ; il est à l'hôtel. Appelle un taxi, *querido*, et ramène-moi vite au *Granada*.

En arrivant à l'hôtel, elle semblait étouffer.

— Va dans ta chambre, dit-elle, et attends-moi... Je vais prendre mon médicament, puis je te rejoindrai.

9

Dix minutes plus tard, elle frappait à la porte du salon. Elle avait mis des pantalons d'homme et un chandail bleu ciel. Guillaume la trouva plus belle que jamais, mais elle avait peine à marcher.

— Assieds-toi sur le canapé, dit-elle. Prends-moi dans tes bras et raconte-moi des histoires, ou dis-moi des vers... Mon remède est puissant ; il me secoue durement et je ne puis parler... Mais j'aime être près de toi et t'écouter.

Elle s'étendit dans ses bras, comme une enfant malade. Elle avait fermé les yeux. Comme elle l'avait demandé, il lui dit des vers. Ceux qu'il savait par cœur étaient de Mainard, de Ronsard, de Corneille, de Racine, de Baudelaire, de Verlaine. Quand il récita :

Un je ne sais quel charme envers vous
[m'emporta...

elle ouvrit les yeux et lui sourit :

— Comme tu es gentil pour moi, dit-elle... Je ne suis pas habituée, tu sais... Presque toujours, quand je suis malade, je suis seule et c'est une terrible angoisse.

Vers la fin de l'après-midi, la crise sembla vaincue.

— Et toi, Guillaume, demanda-t-elle, tu n'écris jamais de vers ?

— Non. J'en ai fait, à vingt ans, comme tout le monde, mais ce n'est pas mon mode d'expression naturel.

— Je veux que tu en écrives pour moi.

— Ils seraient, hélas, indignes de toi... As-tu envie de dîner ?

A la grande surprise de Fontane, elle dit qu'elle allait s'habiller et qu'ils pourraient aller tous deux au Temel, restaurant élégant de Bogota. Elle venait de sortir quand Petresco fit irruption. Il venait exposer un projet d'excursion pour le lendemain :

— Votré conférence, maîtré, elle est à six heures... Manoel Lopez, il voudrait nous emméner déjeuner aux choutes du Tequendama. Vous dévez accepter, maîtré. C'est souperbe et, ces braves gens, ils tiennent à vous montrer lé pays. Ils séraient froissés si vous réfousiez. Moi, jé connais les causes dé votré solitoude, qu'ellé n'est pas ouné solitoude... Né protestez pas, maîtré ; Petresco, il n'est pas oune idiot, ni oune aveuglé... Jé sais... Mais les autres, ils né savent pas... Pas encore... Pour aujourd'hui, j'ai dit : fatigue dé lé voyagé, mais démain ?

— Mon bon ami, dit Fontane, j'irai volontiers, à condition que l'on invite aussi Mme Garcia.

Petresco poussa des soupirs, prit son air de victime, et promit de faire inviter Dolorès.

130

— Alors, maîtré, lé départ à onze heures...
Est-ce qué vous voulez, cé soir, dîner avec...

— Mon bon ami, dit Fontane avec fermeté, je
ne veux rien ce soir, que la paix.

Après le départ d'Ovide, il attendit longtemps
Dolorès, puis alla frapper à sa porte. Elle était
assise dans un fauteuil et rêvait. La chambre
était semée de vêtements épars.

— Pardon, Guillaume, je suis en retard ?... Me
recoiffer a, de nouveau, fait battre mon cœur
trop fort, mais je suis prête... Allons-y.

Au restaurant, elle commanda, selon sa coutume, un steak et « un bon vin français », mangea deux bouchées de viande et vida la bouteille.
Puis elle fuma d'innombrables cigarettes, malgré
les protestations de Guillaume qui disait le tabac
très mauvais pour les étouffements.

— *Tesoro*, il ne faut pas essayer de me faire
vivre à ta manière, ni à celle de personne. Je suis
Lolita. Toujours j'ai bu et pas mangé ; toujours
j'ai fumé... Ni toi ni personne ne peut me changer... J'aime ce que j'aime et je veux ce que
j'aime... J'ai besoin de vivre d'une manière un
peu... *como se dice ?*... diabolique, en sachant que
je suis dans le péché, au bord de la damnation,
mais que la miséricorde divine est infinie et que
je serai sauvée, certainement... Tu comprends ?

— Non, dit-il, mais j'accepte.

Il avait hâte de rentrer à l'hôtel et répondait
distraitement. Dix fois, elle alluma une nouvelle
cigarette à celle qui venait de s'éteindre.

— Commande-moi une liqueur, Guillaume, une
liqueur sauvage.

131

— Mon amour, est-ce bien sage ? Il se fait tard et...

— Et tu es pressé de rentrer, *no* ? dit-elle en pressant le visage de Guillaume entre ses paumes, sans s'occuper des voisins... *Querido*, le bonheur que l'on attend est plus beau que celui dont on jouit... Tu sais cela, *no* ?

Elle but sa liqueur d'un trait, à la russe, puis se leva. L'hôtel était proche. Ils rentrèrent à pied, par des rues étroites et sombres. Devant une porte, elle lui montra deux Indiens minuscules, presque des pygmées, qui dormaient couchés sur les marches, leurs sombreros tombés à côté des visages couleur de terre cuite.

— *Mira*... Quelle misère dans le monde !... Guillaume, tu *dois* m'écrire une pièce sur Flora Tristan... Une pièce violente... Je la jouerai.

Elle avait pris son bras et marchait allégrement, ses hauts talons claquant sur le pavé. En arrivant à l'hôtel, il dit avec hésitation :

— Est-ce que tu es trop fatiguée pour venir me voir encore un instant ?

— Un instant ? dit-elle. Toute la nuit... Va chez toi... *Hasta pronto !*

Il pensa : « Le sort en est jeté. » Un peu plus tard, il entendit à sa porte les coups légers qu'il connaissait déjà si bien. Elle entra, en manteau de fourrure :

— J'ai pris ça pour traverser le couloir.

Elle fit voler au loin ses pantouffles. Il courut à elle et enleva le manteau.

— Que tu es belle ! dit-il.

— Ça te plaît ? demanda-t-elle.

Il l'enleva dans ses bras et la porta dans sa chambre, où il la déposa sur le lit.

— Pourquoi prétendais-tu que tu es vieux, mon amour ?

— Parce que je ne te connaissais pas.

Elle était étendue près de lui et il ne pouvait rassasier ses yeux de ces courbes parfaites. Il loua la beauté de la gorge, des hanches, des longues jambes.

— Tu es tout ce que je rêvais, tout ce que je n'osais plus espérer : la poésie faite femme, la sensualité unie à l'esprit. J'aime tes transports et j'aime ton repos.

Quand il trouvait, pour ses éloges, quelque phrase heureuse, elle avait un de ses : « *Ah !* » du coup au cœur :

— Dis-moi encore de jolies choses, demandait-elle.

Elle se montrait amoureuse hardie, moins savante pourtant qu'il ne l'aurait cru, et cela aussi lui plaisait. Vers deux heures du matin, il murmura :

— Tu devrais regagner ta chambre. Tout de même, il faut dormir, et ne pas risquer que l'on te trouve, au réveil, chez moi.

Elle parut dépitée :

— Pourquoi ? Ça me serait bien égal... C'est vrai que tu veux me renvoyer ? Je suis si bien près de toi.

Il alla chercher les pantoufles, le manteau de fourrure et les lui tendit. Elle fit une moue boudeuse :

— Ce n'est pas un amant que j'ai suivi à Bogota... C'est Cendrillon.

Elle retrouva un sourire adorable pour dire : « *Buonas noches, mi señor* », et disparut dans un pas de ballet.

Quand il fut seul, une inquiétude envahit Guillaume Fontane : « Je suis amoureux, pensa-t-il, comme je ne l'ai pas été depuis ma jeunesse... Où cela peut-il conduire ?... Je vais perdre cette femme dans quelques jours... Qu'elle était touchante, cet après-midi, dans mes bras, respirant à peine et si confiante... » Ainsi s'agitait son esprit, mais son corps était apaisé et son cœur battait tranquillement, largement.

10

Il avait promis à Lolita de la réveiller à neuf heures. Les cloches de Bogota l'arrachèrent lui-même au sommeil bien plus tôt. Une horloge d'église, au timbre grave et doux, sonnait sept coups. Il avait peu dormi mais se sentait léger, alerte. « L'altitude ? pensa-t-il, ou la joie ? »... Une vieille femme lui apporta son *desayuno*. Enfin il appela la chambre 19. La voix endormie lui répondit. Il imagina Lolita, les yeux à demi fermés, les cheveux épars, saisissant le récepteur de ses longs doigts.

— Bonjour, mon amour, dit-elle. (Cela devenait un rite.) *Es la voz de mi señor*...

— Que dis-tu ?

— Je dis : « C'est la voix de mon seigneur. »
Tu es mon seigneur, *no ?*... Tu as bien dormi ?
Tu n'es pas fatigué ?

— Je n'ai jamais été mieux.

— Tu es étonnant, dit-elle.

Après le délai rituel, elle vint chez lui, toute
prête pour la promenade. Puis ils descendirent
dans le hall, Dolorès deux minutes après Guillaume. Il avait exigé cette mise en scène. Il
l'accueillit au pied de l'escalier et dit : « *Buonas
dias, señora* », très fort, pour le bénéfice du chasseur et du caissier qui n'écoutaient pas. Avec le
retard convenable, arrivèrent Petresco, puis Manoël Lopez et sa femme, une jolie brune qui se
nommait Teresa, et enfin un inconnu d'une qua-
rantaine d'années, que Lopez présenta : « Pedro-
Maria Castillo », et que Dolorès accueillit avec
de grandes démonstrations d'amitié. Fontane
regardait avec méfiance cet homme au visage
intelligent, au front chauve, qui avait un air
d'autorité.

— Pedro-Maria, expliqua Dolorès avec animation, est le meilleur poète dramatique de l'Amérique Latine. J'ai joué une pièce de lui à Lima,
mais je ne l'avais jamais rencontré. Cela me fait
un plaisir immense !... Oui, immense, Pedro-
Maria ! Je le désirais depuis *si* longtemps.

A la grande surprise et colère de Fontane, Dolorès se dirigea résolument vers la longue voiture
américaine de Castillo. Ovide Petresco la suivit.
Bien que Teresa Lopez fût charmante et gaie,
Guillaume resta quelque temps silencieux. Il
remâchait sa déconvenue : « Pourquoi a-t-elle fait

cela ? se demandait-il. Ne sait-elle pas que c'est moi qui l'ai fait inviter ? » Puis il se dit que, sans doute, elle avait voulu éviter les commérages. A sa voisine, il demanda :

— Expliquez-moi Castillo... Chez nous, les poètes ont rarement des Cadillac.

— En Colombie, dit Teresa, tous les poètes n'ont pas des Cadillac, mais tout le monde est poète, y compris les possesseurs de Cadillac. Mon mari, Manoël, écrit des sonnets ; mon père a fait beaucoup de vers ; moi, quelques-uns ; notre ami Pedro-Maria est à la fois un grand poète et un banquier.

— La banque explique la voiture, dit Manoël Lopez, qui était assis à côté du chauffeur et entendait la conversation... La voiture, et bien d'autres choses... Pedro-Maria a une maison pleine d'œuvres d'art.

— Et un goût vif pour les danseuses, ajouta Teresa.

— Je vois, dit Fontane, c'est Barnabooth.

— Non, dit Manoël, c'est Castillo.

La voiture sortait de la ville et Teresa montra l'immense plaine fauve qui s'étendait à leurs pieds, unie comme une mer par temps calme :

— Regardez, dit-elle, la Savane !

— On dirait un lac.

— Ce fut un lac. Une légende indienne veut qu'au temps des amours de la Lune et du Soleil, la Lune, un jour, se réveilla jalouse. Soudain, par dépit, elle décida de tuer tous les hommes et elle permit aux eaux de former un grand lac. Cela dura des siècles, puis vint un génie qui rassembla les eaux, fendit le rocher et, par la chute que nous allons voir, vida le lac qui devint la Savane.

Teresa parlait un français plus pur encore que celui de Lolita.

— Mais comment faites-vous tous, en ce pays, pour savoir notre langue aussi bien que nous ?

— J'ai été au Sacré-Cœur et Manoël au Lycée Français... Manoël veut traduire Valéry en espagnol.

— Pas tout Valéry, dit Manoël tourné vers eux ; seulement le *Cimetière marin* et quelques courts poèmes.

La route s'encaissa soudain entre deux hautes pentes boisées. Cela eût ressemblé à certains paysages des Alpes si, çà et là, de petits cactus n'avaient mis dans les sous-bois une note exotique. Brusquement apparurent de hauts rochers et un canyon taillé à pic. On entendit au loin le bruit des chutes et bientôt Fontane aperçut un chalet de bois, en pleine forêt, au bord du gouffre.

— C'est ici que nous déjeunons, dit Manoël, mais auparavant nous irons voir la chute.

La seconde voiture, qui suivait à deux cents mètres, vint se ranger près d'eux. Dolorès en descendit, radieuse, et vint droit à Fontane. De loin, elle lui fit un froncement de nez amical et toute la mauvaise humeur qu'il avait accumulée pendant le trajet s'évapora. Elle prit son bras et l'entraîna vers le balcon éclaboussé d'écume :

— Guillaume, venez voir. C'est très beau.

Puis, dès qu'ils se furent un peu éloignés des autres :

— *Como te quiero !* dit-elle.

La chute semblait vivante. Elle jetait de tous côtés des fusées d'eau qui s'élançaient, s'effilaient, finissaient en pointe hardie, puis mouraient. On eût dit un feu d'artifice tiré du ciel vers la terre. L'eau qui tombait était jaune pâle, un peu dorée, la vapeur qui remontait du gouffre formait une frange brumeuse, d'un bleu lilas.

— Il y a une légende sur cette chute, dit Dolorès. On dit qu'elle est née de la métamorphose d'une femme.

— Elle en a gardé, dit Fontane, la grâce et la folie.

— Tu penses que je suis folle, mon amour ?

— La plus gracieuse folle de la terre, dit-il.

Les autres les rejoignaient. Lopez emmena Fontane voir une inscription au pied de la chute :

DIOS OMNIPOTENS
DADME LICENCIA DE VOLVER
A VER ESTA MARAVILLA DEL MUNDO.

— Monsieur Fontane, vous comprenez ?

Tourné vers Dolorès, Guillaume traduisit :

— Dieu tout-puissant, permets-moi de revenir voir cette merveille du monde.

Tout le monde dit : « Bravo ! » Lolita fronça le nez et Petresco, qui les observait, leva les yeux au ciel. Le déjeuner fut très gai. Pedro-Maria Castillo ne savait pas le français, mais Fontane, aidé par les deux femmes tentait de parler espagnol.

— Il faudra faire attention ! dit gravement Dolorès à Teresa. Il comprendra bientôt tout.

Petresco donna le signal du départ. Il exigeait que Fontane eût au moins une heure de repos avant la conférence. Dolorès suggéra que Petresco allât dans la voiture du ministère, avec Manoël, et que Fontane s'assît entre les deux femmes dans

138

la Cadillac. Ce retour fut charmant. Dolorès et Teresa chantaient tour à tour, et parfois ensemble. Elles jouaient comme deux chattes, par-dessus Fontane épanoui. Mais il s'assombrit à l'arrivée, quand Dolorès demanda :

— Quelle conférence faites-vous ce soir, Guillaume ?

— Celle que j'ai donnée le premier soir, à Lima.

— Celle que j'ai déjà entendue ? dit-elle. Alors je vais tenir compagnie à Pedro-Maria qui ne comprendrait pas.

Ils étaient debout devant la voiture. Elle perçut un malaise de Fontane et l'entraîna par le bras :

— Ne fais pas cette tête, *querido*... J'ai besoin de parler avec Castillo... Il est tout-puissant au théâtre... Tu me reprendras au *Granada*, tout de suite après ta conférence. Nous irons dîner chez Doña Marina et rentrerons ensuite chez toi. Ça te plaît ?

— Bien sûr, dit-il avec une feinte bonne humeur.

Il se sentait un peu meurtri. Il avait, le matin, en attendant Lolita, ajouté à sa conférence deux passages nouveaux qui, pour elle seule, auraient eu un double sens. Que faire ? Insister pour qu'elle vînt ? Trop de spectateurs les observaient. Et d'ailleurs n'était-il pas naturel qu'elle prît soin de sa carrière ?

En sortant du théâtre, il eut beaucoup de mal à échapper aux invitations à dîner. Il n'y parvint qu'en se déclarant souffrant, abattu. « C'est l'altitude », lui répondit-on de tous côtés, et chacun eut un remède à conseiller, un docteur à recommander. Enfin il s'évada, renvoya le malheureux

Ovide qui s'attachait à lui avec inquiétude et rentra seul au *Granada*. Quand il passa devant le bar de l'hôtel, il y vit de dos, sur deux hauts tabourets, la forme svelte de Lolita et celle, massive, de Castillo. Surpris et mécontent, il s'approcha et entendit Lolita qui disait, en espagnol (que Fontane, hélas, comprit) :

— Il me semble, Pedro-Maria, que je t'ai toujours connu.

La voix était animée, heureuse. Entendant un pas derrière elle, Dolorès se retourna et vit Fontane. Elle ne parut ni surprise ni gênée.

— Ah ! Guillaume ! dit-elle en français. Vous avez bien parlé ? J'en suis sûre... Voulez-vous un *Martini* ?

Il répondit sèchement :

— Non, merci. Je vais aller me reposer dans ma chambre. Quand vous aurez terminé votre conversation avec le señor Castillo, vous aurez l'obligeance de me prévenir.

11

En remontant l'escalier du *Granada*, Fontane sentit soudain qu'il était de nouveau un vieil homme. Son humeur avait changé brusquement, comme ces places de village qu'a transfigurées, un instant, l'éblouissement d'une fête et qui se retrouvent, après les dernières fusées, sombres et pauvres, parmi les carcasses des soleils défunts. Il éprouvait de l'humiliation, de la honte et de la fureur. « La même phrase ! pensait-il, et sur le même ton... Ah ! comédienne !... »

Il s'assit dans un fauteuil qui tournait le dos à la porte et se dit : « Tout est fini. Comment avais-je pu croire à ce rêve absurde ? L'amour-propre est bien fort... » Puis il pensa : « Soit, et tant mieux... Je vais pouvoir l'oublier et revenir, sans arrière-pensée, à Pauline qui est ma seule lumière. La quantité de tendresse que peut donner un homme est limitée ; j'étais en train de la gaspiller. »

Pour la première fois depuis son arrivée, il voyait combien ce salon était laid. Les meubles étaient des cadres de bois revêtus d'un drap militaire verdâtre, et les gravures, des chromos aux sujets les plus ridicules. Jusqu'alors, il n'avait pas remarqué ces choses. « L'amour, pensa-t-il, met sur toutes choses sa lumière, comme Vermeer, sur des servantes, sa poésie... Puis l'artiste s'éloigne, et l'amour. La servante redevient une servante, le paradis une chambre d'hôtel, et Dolorès Garcia, une coquette. »

Il soupira douloureusement, puis eut un geste de colère et frappa du poing sur le bras du fauteuil : « Quel étonnement, la jeunesse passée, de sentir monter en soi, malgré soi, une crise aiguë de jalousie !... Cette impossibilité de résister... Le voluptueux supplice du possédé... »

Il essaya, en vain, de lire : « Comédienne !... Comédienne ! » se disait-il. Enfin il reconnut les coups frappés à la porte et ne répondit rien. Il entendit, sans se retourner, les gonds grincer.

141

— *Tesoro*, dit la voix de Lolita, j'ai passé chez moi et je suis toute prête... Tu veux aller chez Doña Marina ?

— Si tu veux, dit-il d'un ton las. Je n'ai pas faim.

— Qu'y a-t-il, Guillaume ? Tu es malade ?

— Malade ? Non... Je suis dégoûté de la vie, de toi, de tout...

— De moi ?... Tu perds la tête, Guillaume ?

Elle ferma la porte, fit le tour du fauteuil, vint s'asseoir aux pieds de Fontane et essaya de prendre ses mains, qu'il lui refusa.

— Qu'est-ce qu'il y a, Guillaume ?... C'est parce que je n'ai pas été à ta conférence ?... Mais, mon amour, je l'avais déjà entendue à Lima ! J'ai pensé...

— Il s'agit bien de conférence ! dit-il d'un ton tragique.

— Mais alors, de *quoi* s'agit-il ?... J'ai beau faire mon examen de conscience, je ne trouve rien à me reprocher.

Il haussa les épaules :

— Vraiment ? dit-il... Qu'as-tu fait depuis que nous nous sommes séparés ?

— Une chose abominable, Guillaume : j'ai été à la piscine du Club, avec Teresa et Castillo... Ne prends pas la tête du Commandeur, mon amour, c'était tout naturel. J'adore nager... Ensuite, comme l'eau n'était pas très chaude, nous sommes revenus au bar du *Granada*, pour boire un Martini qui nous réchaufferait, et pour t'attendre. Puis Teresa est rentrée chez elle. On ne peut rien imaginer de plus innocent.

— Et c'est innocent aussi d'avoir dit : « *Pedro-*

Maria, il me semble que je t'ai toujours connu » ?
La même phrase qu'à moi, exactement... Et depuis
quand tutoies-tu Barnabooth ? Tu l'as vu ce matin
pour la première fois !

— Comment l'appelles-tu ?... Mais, mon pauvre
Guillaume, en espagnol, on tutoie tout de suite ;
je te l'ai dit ; ce n'est même pas un signe d'intimité. Et la phrase qui t'a choqué était naturelle
aussi. C'est *vrai* que j'ai l'impression de l'avoir
toujours connu : j'ai lu ses poèmes ; je les sais
par cœur ; j'ai joué ses pièces. Ce n'est pas un
lien, *no ?*

Avec une humilité triste et résignée, elle dit en
se levant :

— Alors, c'est fini, Guillaume ? Tu ne veux plus
de moi ? Je dois m'en aller ?

A son tour il se leva, souriant à demi malgré
lui :

— Non, je ne veux pas la mort de la pécheresse.
Tu as droit, avant la damnation éternelle, à deux
bouchées de viande saignante et à ta bouteille
de vin rouge.

Elle prit sa main :

— Je ne veux pas de viande saignante ni de vin
rouge. Je veux ton amour... Je l'ai ?

Et comme il ne répondait pas, elle répéta :

— Guillaume, je l'ai, ton amour ?... Si je ne
l'ai pas, je m'en vais.

— Ah ! folle que tu es, dit-il, tu le sais bien...
Seulement je suis jaloux.

— Ça me plaît, dit-elle... Si tu n'étais pas jaloux,
tu ne serais pas amoureux... *Soy feliz.*

En partant pour le restaurant, ils étaient de
nouveau bons amis et les talons de Lolita cla-

quaient gaiement sur les silex de Bogota. Doña
Marina les accueillit avec affection. Quand Dolorès eut vidé sa bouteille et fumé tout un paquet
de cigarettes, elle devint mélancolique et péni-
tente :

— Guillaume, dit-elle gravement, tout à l'heure,
tu t'es contenté de mes explications, mais elles
étaient fausses... C'est vrai que j'ai été coquette
avec Castillo.

— Tu es toujours coquette, dit-il. Il n'y a pas
grand mal ; c'est une forme de politesse et
d'humilité.

Elle tenait à faire une confession plénière :

— Ne sois pas trop indulgent, Guillaume... Je
ne suis pas seulement coquette; je suis méchante,
perverse. Je suis capable de me moquer des gens
qui m'aiment et de chercher à leur faire du mal.
Oui, même à toi... Ce n'est pas ma faute ; j'ai été
si mal traitée par la vie ! Le premier homme
que j'ai connu était férocement égoïste. Mon mari,
que je voulais aimer, m'a pervertie. Tout cela
fait que je suis devenue cruelle. Toi, qui as été
pour moi toute gentillesse, je t'ai trahi, oh ! en
pensée seulement, mais c'est affreux...

Il commençait à s'alarmer et à s'indigner :

— Qu'as-tu donc dit à cet homme ? Et pourquoi es-tu coquette ? C'est si beau, un sentiment
unique.

A ce moment se fit en elle un violent revire-
ment. Avec une ironie sauvage, elle l'imita :

— « C'est si beau, un sentiment unique... » ? *Tu
me quieres alba, tu me quieres casta, tu me
quieres nivea,* c'est ça, n'est-ce pas ? Mais je voudrais bien voir, *buen hombre,* les lettres que tu

144

écris en ce moment à ta femme ! Sans aucun doute, tu l'assures de ton amour ; tu dis ta hâte de la retrouver ; tu ne parles pas de la dangereuse Périchole, si coquette et si fausse, avec laquelle tu passes en ce moment tes jours et tes nuits, *no ?...* Alors de quel droit me prêches-tu des sermons sur la fidélité ?

Fontane admira la tirade, qu'elle avait lancée superbement : « Quelle grande actrice ! » pensa-t-il une fois encore. Il n'était pas très sûr de ce qu'elle avait pu dire à Castillo ; des promesses qu'elle avait faites, peut-être, à cet homme ; mais toute proche de lui et en larmes, elle lui semblait à ce moment si belle que le désir l'emporta, de bien loin, sur la colère. Il songea qu'il était tard et qu'ils perdaient un temps précieux.

— Tu veux bien venir un instant chez moi ? dit-il.

Un air de triomphe, voilé de pleurs, brilla dans les yeux de Lolita.

— Commande-moi encore une liqueur, dit-elle, puis nous rentrerons.

12

Le lendemain, Dolorès passa la journée au théâtre, avec le directeur et le metteur en scène. Guillaume Fontane apaisa *Ovidius Naso* en déjeunant, sagement, chez un aimable ambassadeur de

France, qui le remercia pour l'excellent effet de sa visite ; en dînant chez le ministre des Affaires étrangères, homme de grande culture qui s'était pris d'affection pour lui ; en parlant à la Radio Nationale et en prononçant, à l'Université, une conférence sur Paul Valéry qui plut à ce peuple de poètes. Le soir, il était content de soi et pensait : « Au fond, c'est le brave *Ovidius* qui a raison. Je suis ici pour faire mon métier de vieux professeur et nul autre... » En prenant congé, devant le théâtre, Manoël Lopez dit que le Ministre souhaitait que Fontane se rendît, le lendemain, à l'Université de Medellin :

— Vous ne le regretterez pas, monsieur Fontane. C'est un voyage court, en avion. Vous parlerez devant des jeunes gens qui aiment avec passion les livres, le théâtre, les films français. Ce sera utile pour vous et pour votre pays... Seul inconvénient : il faut se lever tôt. Nous serons à l'hôtel à cinq heures, avec la voiture.

Après une pause, il ajouta :

— Nous avons prié Dolorès Garcia de venir avec nous. Elle est populaire parmi les étudiants.

Manoël Lopez était plein de tact.

Il faisait encore nuit quand les hommes et Teresa Lopez se retrouvèrent dans le hall du *Granada*. Castillo était du voyage, ainsi que plusieurs écrivains colombiens. Dolorès manquait au rendez-vous. Le portier de nuit dit qu'il l'avait vue quitter l'hôtel à pied, il y avait près d'une heure.

— Je ne comprends pas, dit Castillo, agité. Il était convenu que je devais la conduire à l'aéroport.

Lopez regarda sa montre et dit, avec autorité,

qu'il fallait partir. Fontane montrait beaucoup d'inquiétude, mais Teresa put affirmer que Dolorès lui avait encore parlé de ce voyage la veille, et qu'elle serait certainement à l'aéroport. Comment ? C'était un mystère ; Lolita aimait le mystère. En fait, quand les trois voitures arrivèrent au champ d'aviation, elle s'y trouvait déjà et les y reçut avec fierté. A Castillo, qui demandait, avec un peu d'irritation, ce qui était arrivé, elle répondit par un récit obscur, puis, attirant Fontane derrière une colonne, elle murmura :

— Ne dis plus mon amour, que je suis coquette... Je sais faire beaucoup pour ceux que j'aime... Ecoute ! hier soir, Pedro-Maria m'avait parlé de ce voyage à Medellin, et proposé de venir me chercher ce matin, parce qu'il n'y avait pas place pour moi dans la voiture du ministère. J'avais accepté, parce que c'était commode. Puis j'ai pensé que cela te ferait encore de la peine, et que ce cerveau jaloux travaillerait sur une chose aussi innocente. Alors je me suis levée à quatre heures et je suis venue à pied... C'est gentil, *no ?*

Fontane se sentit confus et coupable. Qu'il avait été injuste en doutant de cette âme si fière ! Il eut à peine le temps de le dire, car il fallut monter dans le petit avion. Dolorès et Fontane, par un accord tacite, s'abstinrent de s'asseoir l'un près de l'autre. Fontane eut pour voisins, d'abord un pittoresque poète qui l'amusa par son humour, puis un philosophe ingénieux et mélancolique, que lui amena Lopez. De fauteuil à fauteuil, on échangeait des strophes, des sonnets, des rondeaux. Le ciel était d'un bleu violet, très pur, et les montagnes se détachaient avec la netteté de celles de la Grèce. Les hardiesses du pilote parmi les pics tenaient plus de l'acrobatie que du transport. Très bas luisait le ruban clair de la Magdalena.

— De grands bateaux, dit Lopez, transportent les voyageurs jusqu'au port de Barranquilla. C'est une descente de plusieurs jours, très pittoresque. Dans chaque ville, on s'arrête pour charger paquets et passagers ; le capitaine apporte et recueille les nouvelles. Cela rappelle les *steamboats* du Mississippi au temps de Mark Twain.

A Medellin, le recteur et le préfet attendaient l'avion. L'air, plus doux que celui de Bogota, était d'une extraordinaire légèreté. Dans la campagne, on ne voyait que champs de fleurs.

— Ici, dit le préfet, nous cultivons les plus belles orchidées du monde.

A l'Université, avant la conférence, prit place une réception officielle, avec champagne et discours. Fontane vit de loin, au fond de la salle, Dolorès entre Castillo et Lopez. Il marcha droit sur elle et lui dit à voix basse :

— Je veux un froncement de nez ou je ne parle pas.

Elle rit et fronça le nez avec tendresse. Plus tard, elle le remercia de ce mouvement :

— Je t'aime lorsque tu es ainsi, jeune, absurde et hardi... Que tu aies quitté tous ces pontifes, pour venir à moi, m'a comblée.

Entre la conférence et le déjeuner, Dolorès voulut se baigner dans la piscine de l'hôtel. Les Lopez et Castillo avaient, eux aussi, apporté leurs costumes. Fontane s'assit dans un fauteuil de toile et les regarda nager. Rassuré par l'acte de dévotion accompli par Lolita, le matin, il n'était plus jaloux et jouissait de la grâce des ondines. Entre deux plongeons, Dolorès, encore tout humide, venait s'étendre dans l'herbe à ses pieds. Elle alla se rhabiller dans le pavillon du Club. Quand elle revint, elle souriait :

— Tu sais, dit-elle à Guillaume, dans ce *Club House*, une mince cloison sépare le vestiaire des hommes de celui des femmes. Teresa et moi, en nous séchant, avons tout le temps bavardé et Castillo nous a crié : « J'entends des voix nues... » *Es bonito, no ?*

— Je ne trouve pas ça de bon goût, dit-il.

Il restait une demi-heure avant le repas et Lolita, « pour faire sa réaction », voulut aller, avec Guillaume et Lopez, voir un champ d'orchidées. Au retour, ils furent surpris par un orage et la robe de Lolita devint un chiffon humide. En rentrant à l'hôtel, elle alla emprunter au maître baigneur un pantalon de toile et un chandail de marin, rayé de lignes horizontales bleues et blanches. Elle arriva au déjeuner en cette tenue, le pantalon retroussé très haut sur ses jambes nues. Cette tenue aurait pu choquer les Importants, mais tous, poètes et fonctionnaires, en furent charmés. On était en Colombie et les grands fonctionnaires étaient poètes.

Jamais Lolita n'avait été plus en verve. A table, elle afficha son intimité avec Fontane par des apartés et des sourires. Castillo, assis en face d'eux, dit à Lolita en espagnol :

— J'assiste à une comédie merveilleusement mise en scène.

— Quelle comédie ? demanda-t-elle avec indignation. Je n'ai jamais été plus sincère.

Castillo sourit avec scepticisme et Fontane, pendant un instant, se demanda si l'indignation avait été jouée. Qu'avait-elle confié à cet homme ? Il fut vite reconquis par la virtuosité prodigieuse dont elle fit preuve après le déjeuner. Lopez avait fait allumer un grand feu de fagots. Elle dansa dans les reflets, demanda une guitare, chanta, puis récita des poèmes de Castillo, très beaux, et apaisa ainsi le seul esprit critique du groupe. Puis elle se traîna aux pieds de Fontane, en murmurant des incantations.

— Oui, c'est entendu, tu es une magicienne, lui dit Castillo. Vas-tu nous changer en pourceaux ?

— Non, dit-elle, je vais vous changer en hommes.

Vraiment elle semblait, ce jour-là, possédée, mais par un démon spirituel et malicieux. Fontane était fou d'admiration. « Je ne verrai plus jamais cela », se disait-il.

Le retour, en avion, fut périlleux. Le temps demeurait orageux et d'énormes grêlons mitraillaient la coque sonore. L'appareil bondissait parmi les pics. De grands nuages noirs couraient sur le gris fumée des montagnes. De temps à autre, un lambeau bleu d'outremer perçait la nue. L'avion se cabrait, tombait comme une pierre, se recevait avec un choc sur des couches d'air plus dures. Dolorès était venue s'asseoir à côté de Fontane.

— Tu n'as pas peur ? demanda-t-il.

— Je n'ai jamais peur, dit-elle ; nous devons une mort à Dieu ; si nous la lui donnons maintenant, nous serons quittes... Et toi, *tesoro*, tu penses à la mort ?

— Jamais, dit-il. La mort n'est pas une pensée.

Elle protesta mais à ce moment la ville, age-nouillée aux pieds des Andes, apparut comme un dessin de Gustave Doré, blanche sur fond noir d'encre. Bientôt le soleil brilla. L'orage était fini.

— Tel est le climat de Bogota, dit Lopez. Caractère brusque, mais excellent.

13

L'horloge au son grave sonna neuf heures. La cloche d'un couvent tinta. Guillaume Fontane demanda, au téléphone : « *Diecinueve* » et atten-dit, avec émotion, la voix tout enveloppée de sommeil.

— Bonjour, mon amour, dit la voix... J'ai un beau projet pour toi... Tu as dit hier, au ministre, que tu aimerais déjeuner dans une auberge indienne, *no* ? Il y en a une très connue, pas loin de Bogota, à Torca, en pleine savane... Alors, écoute, Guillaume : Manoël va nous donner la voiture ; il ne peut pas venir lui-même, parce qu'il a du travail au ministère, mais Teresa vien-dra... Qu'est-ce que tu dis ?

— Je dis que deux est compagnie, trois une foule.

— Que tu es exigeant ! On te donne deux jeunes femmes, pour toi seul, et tu grognes.

— Je ne grogne pas, dit-il. Je trouve Teresa plus qu'agréable, mais tout de même...

Il ne se plaignit plus quand il fut entre les deux charmantes filles, sur la route absolument plate et droite de la savane. Des deux côtés, l'herbe de la vaste plaine était mêlée de roseaux. Le vert pâle des eucalyptus modulait sur le vert tendre des saules. Ça et là, de rares oasis de forêt équatoriales, palmiers, aloès bleus, lianes abritaient de petites fermes. Lolita et Teresa, suivant leur aimable coutume, chantaient ou bavardaient avec passion. Elles souhaitaient parler français mais, malgré elles, revenaient sans cesse à l'espagnol. Teresa expliquait que Castillo projetait d'écrire un *Don Juan*.

— Mais tout à fait différent du *Burlador de Séville* ou de Zorrilla, tu comprends, Lolita ?

— O jeune érudite, implora Fontane, ayez la bonté d'expliquer à un voyageur étranger ce qu'est Zorrilla ?

— Zorrilla ? dit Dolorès. Tu ne sais pas ça ?... Il est l'auteur d'un *Don Juan Tenorio* romantique où le héros est, à la fin, sauvé par l'amour de Doña Inès, qui l'entraîne avec elle au paradis... C'est une pièce que les Espagnols aiment avec une tendresse ironique et qu'ils représentent, chaque année, le jour des Morts parce qu'elle se passe en partie dans un cimetière. J'y ai joué Doña Ana, en Argentine. Les vers sont pompeux et sonores.

— *Mira*, Lolita, reprit Teresa, Pedro-Maria trouve toutes ces pièces absurdes parce que Don

152

Juan s'y montre, dès le début, un vulgaire coureur de jupons. S'il n'était que cela, dit Castillo, il n'aurait ni le courage de risquer la damnation ni la force d'âme de se convertir. La vraie tragédie de Don Juan, c'est qu'il poursuit les *mille et tre* parce qu'il n'a jamais trouvé aucune femme digne d'inspirer une grande passion. Tu comprends ?

— Que pense de tout cela *el señor francès* ? demanda Lolita.

— Je pense, dit-il, qu'il est trop commode de représenter le besoin de changer... heu !... de jupons, comme une recherche de l'absolu... Je ne puis croire que Doña Inès soit la première femme digne d'amour qu'ait rencontrée votre galant... Non, tout de même, si les mille et deux autres n'avaient été que de vulgaires coquettes, où serait le drame ?... Qu'un amant professionnel ait pu arriver à l'âge d'homme sans connaître... heu !... le sublime de la passion féminine, ce n'est pas vraisemblable.

Il s'était dégagé des bras de ses compagnes pour lever vers le ciel une canne imaginaire.

— Guillaume croit aux femmes, expliqua Lolita à Teresa. C'est gentil, *no* ? Tu connais le poème de ma chère Alfonsina sur Don Juan, Teresa ?

Teresa le connaissait et elles le récitèrent par strophes alternées, qu'elles traduisirent pour Fontane :

> *Noctambulo mochuelo*
> *Por fortuna tu estas*
> *Bien dormido en el suelo*
> *Y no despertaras...*

153

Nocturne hibou — Par bonheur tu es — Bien
endormi dans la terre — Et tu ne te réveilleras
pas...

— Pourquoi *par bonheur* ? demanda-t-il.

— Parce que s'il se réveillait, Guillaume, il trou-
verait notre triste époque... Des caballeros sans
gloire, sans cape et sans folie... Moi, je suis une
Espagnole ! *O extremada o nada !*... Tout ou rien...
Voici l'auberge, Guillaume.

C'était une vaste hutte en roseaux tressés, au
bord de la route, d'une plaisante rusticité. Sous
un abri voisin, Teresa montra un grand four de
terre, très primitif, dans lequel d'innombrables
servantes indiennes cuisaient des petits pains de
yucca. Ils avaient une saveur salée, aguichante.
Les tables de l'auberge étaient dressées en plein
air ; il faisait bien plus chaud qu'à Bogota. Fontane s'étonna du changement.

— Chez nous, dit Teresa, le climat est vertical...
Il n'y a pas de saisons. Quand c'est l'hiver à
Bogota, c'est le printemps ici, à Torca, et un été
torride à Barranquilla... Officiellement, demain
21 septembre est le premier jour du printemps,
mais cela ne changera, en aucun lieu, les saisons
réelles.

— Tiens ! dit Lolita, le 21 septembre ?... Mais
alors demain est mon anniversaire de naissance.

— Il est naturel, dit Fontane, que votre naissance ait annoncé le printemps. C'est une gracieuse légende.

— *No despiertas*, Don Juan, coupa Teresa.

Elle commanda du porc salé, entouré de bananes
géantes.

— Vous verrez, c'est délicieux.

Déjà les deux jeunes femmes grignotaient des morceaux de peau de porc grillée.

— *Mira*, Guillaume, tous les jeunes hommes des tables voisines te regardent avec envie. Ils pensent : « Deux femmes pour cet étranger, c'est trop. »

Le repas fut un jaillissement continu de poèmes, de chants et de rires.

14

Le beau son grave de l'horloge parut lugubre à Guillaume Fontane. Il annonçait l'aube du dernier jour. C'était la fin de ce rêve hors du temps. Le lendemain matin, il devait prendre l'avion pour les Etats-Unis où il parlerait pendant deux semaines, après quoi il rentrerait en France. Il se sentait divisé contre lui-même. Il se réjouissait de retrouver Pauline, ses amis, son travail et ses livres ; il soupirait en pensant aux heures enchantées qu'il avait connues.

— Jamais plus ! se répétait-il.

Il accomplit sans joie les rites matinaux, appela Dolorès, puis lut le courrier qu'un chasseur venait de lui apporter. Il y avait une lettre de Pauline, spirituelle et, lui sembla-t-il, ironique. A neuf heures, Lolita frappa, puis ouvrit la porte en disant :

— Je peux venir un instant ?... Je ne veux pas transformer ce dernier jour en veillée funèbre, *querido*, mais je suis triste et angoissée.

— Il y a, dit-il, une course que je tiens à faire avec toi aujourd'hui... Tu as dit que c'est ton anniversaire. J'aimerais à t'acheter un objet que tu porterais en souvenir de moi. As-tu quelque idée, quelque désir ?

Le visage de Dolorès s'éclaira. Elle rejeta la tête en arrière et passa la main dans ses boucles :

— Comme tu es gentil, Guillaume !... Oui, j'ai envie depuis longtemps d'une grande croix d'or que je puisse porter au cou, et j'aimerais tant qu'elle me vînt de toi. Hier, j'en ai vu de très belles dans la vitrine d'un bijoutier, *Calle Real*. Veux-tu que nous y allions ensemble ?

Ils jouèrent, avec conscience, la comédie de n'apparaître dans le hall qu'à cinq minutes d'intervalle. Fontane, en descendant l'escalier pensait : « Ame déroutante ! Elle est croyante, aussi naturellement qu'elle respire, et elle trouve naturel de se faire offrir un objet de sainteté par un amant de passage... La Périchole !... Mais avec plus de charme tragique... »

Quand il la vit debout, au pied de l'escalier, il sentit ses yeux se mouiller. « Jamais plus », pensa-t-il encore. Puis il dit, pour le caissier qui n'écoutait pas :

— *Buenos dias, señora*.

La promenade, dans les rues grouillantes de petits Indiens, bruyantes de : « *Que tal !... Hombre !* », puis la visite au joaillier, dissipèrent pour un temps leur tristesse. Lolita choisit une croix simple, massive et nue. Tout de suite, elle la mit

156

à son cou et remercia Guillaume d'un beau regard. Quand ils se retrouvèrent dans la rue, elle se suspendit à son bras :

— J'aime tant vivre avec toi, Guillaume, entrer avec toi dans une boutique, prendre nos repas ensemble, ne jamais te quitter... Ne pourrais-tu vraiment rester encore quinze jours ? Ou même huit ? Le recteur de Medellin t'a invité à discourir encore pour ses étudiants. Accepte. Moi, je m'arrangerai pour y venir avec toi. Nous aurons là deux semaines merveilleuses, *no ?*... Il ne faut pas rejeter les chances de bonheur, *querido* ; la vie n'en offre pas tant.

Il fut touché, tenté, mais répondit mélancoliquement :

— Cueillez, cueillez votre vieillesse ?... Hélas ! non, Lolita, ce n'est pas possible. Petresco a pris pour moi des engagements à New York et Philadelphie, à dates fixes, et puis ma femme m'attend en France... Je sais que tu n'aimes pas que je te parle d'elle, mais tout de même...

— Ne crois pas cela, dit-elle. Au fond, que tu aimes et respectes ta femme, ça me plaît... J'ai pu montrer, quelquefois, un peu d'humeur, mais je t'estime beaucoup plus parce que tu n'as pas, comme tous les hommes mariés qui me font la cour, plaidé que tu es malheureux en ménage... Je vais même te dire quelque chose que tu ne ne sais peut-être pas : tu aimes et admires ta femme plus que moi.

— *Autrement*, dit-il... Et peut-être *plus*, tu as raison.

— C'est très brave de me le dire.

Il dut la quitter à l'heure du déjeuner, pour

assister à un repas officiel, mais elle fut invitée, le soir, au dîner d'adieux offert par Manoël Lopez et, comme disait celui-ci, « par les poètes du ministère ». Ce dîner prit place chez Doña Marina, et le ton en fut amical et mélancolique. En quelques jours, un lien d'affection s'était noué entre Fontane et ses hôtes. La présence insolite de Dolorès les avait moins choqués que charmés. Très sensibles à la beauté, au talent, ils avaient aimé la compañera. Dona Marina, ce soir-là, se surpassa et vint, avec sa robuste verve, après chaque plat, se mêler aux conversations. Naturellement, on récita de nombreux vers; Dolorès chanta des chants *flamencos* et ce fut seulement vers minuit que « les poètes » ramenèrent au *Granada* Fontane et son amie. Dans le hall, elle dit très haut, pour le concierge :

— *Buenas noches, maestro*... (Puis, à voix basse) : Veux-tu que je vienne chez toi ou que je te laisse dormir ?

Il haussa les épaules :

— Dormir ? Tu crois que je vais dormir !

— N'es-tu pas Cendrillon ?

Elle disparut en souriant mais, cinq minutes puis tard, frappait à sa porte :

— Je voudrais, dit-elle, passer ces dernières heures dans tes bras, comme le jour de ma crise d'étouffements. Tu te souviens que tu as été si gentil ?... Cette fois-ci, c'est mon âme qui étouffe, mais cela fait encore plus mal.

Il éteignit toutes les lumières, sauf une petite lampe, s'assit sur le canapé et Dolorès s'allongea, la tête sur la poitrine de Guillaume :

— Ay, Lolita ! dit-elle. C'est fini... Plus de beaux

yeux plongés dans les miens, plus de jolies choses qui me font bondir le cœur... Que Dieu te bénisse, mon amour, pour ce que tu m'as donné !

— Moi ? Je ne t'ai rien donné. C'est toi qui m'as tout apporté. J'avais, avec toi, du plaisir à me taire et du plaisir à parler. J'aimais ton rire et j'aimais tes larmes ; j'aimais tes folies et j'aimais ta sagesse. Marcher à tes côtés, entrer avec toi dans une librairie, manger près de toi dans une auberge indienne, tout était enchantement... Ah ! que tu vas me manquer ! Mon cœur et mon corps te chercheront. *Ay Lolita !*

Il vit qu'elle avait les yeux pleins de larmes.

— Tu m'oublieras vite, dit-elle. Le monde vers lequel tu retournes est le tien ; je n'y ai pas de place. *Entras en tu mundo, querido, un mundo que yo desconozco...* J'ai des pressentiments tristes, Guillaume.

— Autant dire, Lolita, que je pourrais oublier la douceur du printemps, la chaleur du soleil et le frisson du plaisir.

— Ah ! dit-elle.

C'était le : « Ah ! » du coup au cœur.

Ils restèrent ainsi quelques heures, parlant ou rêvant. Lolita pleura beaucoup puis, parce qu'il le lui avait demandé, chanta pour lui à mi-voix la chanson qu'il préférait. Ils parlèrent aussi de l'avenir. Comment se reverraient-ils ? Elle souhaitait venir à Paris, y organiser une saison de théâtre espagnol. Fontane secoua la tête :

— Malgré ton génie, dit-il, il n'y aurait pas de public. Paris, né dans une île de la Seine, demeure une ville insulaire. Et puis je n'y serais pas libre. Ici, notre amour était innocent ; il ne faisait de mal à personne. A Paris...

— *Ay Lolita !* dit-elle.

Il suggéra une rencontre en Espagne. Ne pourrait-elle se faire engager à Madrid, à Barcelone ? Il y accourrait. Sinon, lui-même reviendrait en Amérique Latine. *Ovidius Naso* arrangerait cela.

L'horloge de l'église scandait la nuit. Quand elle sonna quatre heures :

— As-tu fini tes valises ? demanda Lolita. Veux-tu que je t'aide ? Tu as un livre pour ton voyage ?

— Oui. Stendhal : *La Chartreuse...* Je l'ai pris hier, chez un libraire, parce que je me sens en ce moment plus stendhalien que jamais.

— A cause de moi ?

— A cause de toi.

— *Soy feliz.*

Quand les bagages furent terminés, elle revint dans ses bras. Le timbre profond de l'horloge les tira de leur transe.

— Cinq heures ! dit-elle. Je dois descendre... Toi, attends deux minutes... *Querido*, souviens-toi... Je t'ai tout laissé voir : le bon et le mauvais. Dis-toi que, la seule vérité de ma vie, ce sont les quinze jours que j'ai passés avec toi.

— Toi non plus, dit-il, n'oublie pas... Tu m'as demandé d'écrire pour toi un rôle. Je t'en donne un : l'Inconsolable.

— Ça se jouera longtemps ? demanda-t-elle sur le pas de la porte.

Et elle disparut dans un sourire.

5

15

Quand Fontane descendit, escorté de bagagistes avides, empressés, Lolita était déjà en conversation avec Teresa. Lopez et Petresco vinrent au-devant de lui, dans la demi-obscurité du hall, et le saluèrent à voix basse, d'un air affectueux et tragique, comme on fait un jour d'enterrement. « Le réveil du condamné », se dit-il. Le trajet, jusqu'au champ d'aviation, ne fut pas moins triste. Une brume éparse enveloppait la voiture. Personne ne parlait. Lolita elle-même, à l'ordinaire si vive, semblait abattue.

— Votre voyage, maître, a été un immense succès, dit enfin Lopez. Nous espérons tous que vous reviendrez à Bogota.

— Mon bon ami, dit Fontane, si le désir à quelque action sur les événements, je reviendrai certainement.

A l'aérogare, Petresco s'occupa des billets, de la douane, du change. Il devait rester à Bogota, pour liquider les comptes et organiser des spectacles futurs. Plusieurs écrivains colombiens étaient venus, et aussi un secrétaire de l'ambassade de France, de sorte que Fontane dut prendre part à un interminable échange de compliments et de remerciements. Lolita s'était placée dans le groupe en face de lui et, de temps à autre, lui adressait un sombre froncement de nez. Un peu plus tard, il manœuvra pour se rapprocher d'elle. S'étant penchée vers lui, elle murmura :

— *Ay* Guillaume !

Puis le haut-parleur demanda le señor Lopez au téléphone. Manoël y courut et, à son retour, dit :

— C'était le ministre. Il demandait si la brume n'empêcherait pas le départ, mais les gens de la Compagnie m'ont affirmé que non. Alors il va venir. Vous pouvez être fier, maître ; le ministre n'a jamais fait cela que pour ses collègues étrangers.

Fontane regardait Dolorès. « Pourquoi diable ai-je choisi de partir ? pensait-il. Je pouvais câbler à New York, remettre mes conférences et aller avec elle à Medellin... Ah ! triple sot que tu es !... »

Une longue voiture s'arrêta devant la gare. Manoël Lopez courut au-devant de son ministre. Trois ou quatre passagers, qui reconnurent celui-ci, saisirent cette occasion inespérée de saluer un homme puissant. Ils étaient de ces importuns qu'un politicien ne peut brusquer et le retinrent un instant. Puis il se joignit aux amis de Fontane et dit à celui-ci des choses gracieuses sur son séjour.

— Quant à vous, señora Garcia, je sais que nous vous gardons et que nous aurons prochainement la bonne fortune de vous applaudir ici.

Elle parla au ministre de ses projets, très bien (presque trop bien, pensa Fontane, qui s'était plu à l'imaginer accablée par cette séparation). L'horloge avançait, implacable. Il ne restait plus

162

que cinq minutes. Petresco prit Fontane à part, pour parler de leurs comptes. Fontane, impatient, disait :

— Ça n'a aucune importance, mon bon ami, laissez-moi faire mes adieux... J'accepte d'avance ce que vous jugerez équitable. Vous m'écrirez en France.

— Maîtré, jé dois expliquer... Votre billet pour Miami et New York, cinqué cents dollars, est à votré compte, mais en révanché...

Fontane n'écouta pas la suite. Le haut-parleur appclait : « *Los señores pasajeros para Barranquilla, Panama, Miami...* »

Le ministre prit la main de Fontane et la serra dans les deux siennes, avec chaleur. Des éclairs, déclenchés par les photographes, révélèrent le visage bouleversé du voyageur. Lopez, Petresco et les autres hommes lui tapèrent dans le dos, amicalement :

— *Adios, amigo*... Et souvenez-vous : vous avez promis de revenir.

Que pouvait-il dire à Lolita, ou elle à lui, devant cette foule ? Il alla vers la jeune femme et plaça une main sur son épaule, sans un mot. Elle ferma les yeux avec un sourire tout proche des larmes. Déjà la file des voyageurs passait le portillon.

— Maîtré, maîtré, dit Petresco, donnant précipitamment à Fontane une liasse de papiers multicolores, voici vos billets, lé bullétin dé bagages, et lé passéport... *Adios, maestro*. Et merci. *Happy landing !*

— Adieu, mon bon ami, merci à vous, dit Fontane, et il prit la file.

Au-dehors il se retourna et vit Lolita, qui lui

envoyait un dernier froncement pathétique. Un instant plus tard, il était dans l'avion et bouclait à grand-peine sa ceinture. L'hôtesse vint l'aider. C'était une brunette américaine à l'air gai.

— *You must be a big shot*, dit-elle. *They made a lot of fuss about you.*

Mais Fontane parlait si mal l'anglais qu'elle se découragea. L'une après l'autre, les hélices exhibaient leur force torrentielle.

Quand l'avion fut en plein ciel, Fontane jeta un coup d'œil par le hublot. Il vit des gouffres, des pics touchés par le soleil levant et, très bas dans la plaine, le ruban argenté de la Magdalena. Alors il se souvint, avec un amer regret, du vol vers Medellin. Qu'il s'était senti alors jeune et heureux ! Il ouvrit la *Chartreuse*, au hasard, et tout de suite tomba sur une phrase qui le fit rêver. Il s'agissait du comte Mosca : « *Ce ministre, malgré ses airs légers et ses façons brillantes, n'avait pas une âme à la française : il ne savait pas oublier les chagrins...* » Dur pour les Français, était-ce vrai ? Guillaume avait eu, depuis les grands orages, au temps de Minnie, peu de chagrins sentimentaux. Avec Pauline, sa vie, jusqu'aux derniers mois, avait été en somme unie et heureuse. Wanda l'avait fait un peu souffrir, mais là il avait fait preuve d'une âme « à la française » et vite oublié. Cette fois, au contraire, il se croyait profondément atteint. « Est-ce que j'éprouve des remords ? Non... Ai-je, ce matin, vu pour la dernière fois cette fille sublime ? »

Attachée au dossier du fauteuil placé devant lui, une grande poche contenait une carte, un menu et une feuille de papier bleu, celle-là vierge et destinée aux observations du voyageur. Il tira de sa poche un crayon, appuya cette feuille sur la *Chartreuse* et, presque inconsciemment, se mit à écrire, sur l'air d'une des complaintes que chantait Lolita :

Ce fut un jour mélancolique
Que le jour où l'on se quitta,
Par une brume symbolique,
Ay Lolita !

Il griffonna ainsi une dizaines de couplets :

— Je retourne à l'adolescence, pensa-t-il. C'est ridicule et délicieux.

— *Please fasten your belts*, dit l'hôtesse. On arrivait à Barranquilla. Sur ce terrain brûlant, un préfet vêtu de toile blanche, alerté par le ministère, prononça en espagnol des paroles de bienvenue. Fontane, qui soudain ne comprenait plus un mot de ce langage, pensait : « J'ai perdu ma belle interprète. » Ces dix minutes de conversation inintelligible lui semblèrent bien longues. Quand il reprit sa place dans l'avion il tira de sa poche le papier bleu et relut ce qu'il avait écrit : « Vers de collégien amoureux, se dit-il. Serai-je désormais comme un de ces personnages de féerie qu'une magicienne transforma et qui pourtant se souviennent de ce qu'ils furent ?... Ma foi, qu'importe, si ces enfantillages me rendent heureux ? »

Il essaya de reprendre la *Chartreuse*, mais à chaque page sa pensée fuyait vers les images de ces étincelantes et douces journées. Après une

rêverie, il chercha quelque autre feuille de papier
et, cette fois, écrivit :

> O jours de bonheur !
> O grâce trop brève !
> Ce temps enchanteur
> Ne fut-il qu'un rêve ?
>
> Sous ce ciel lointain,
> T'ai-je bien connue ?
> Etait-ce, au matin,
> L'or de ta voix nue ?
>
> Cette douce image
> Où mon cœur se plaît,
> Fut-elle un mirage ?
> Fut-elle un reflet ?
>
> Ce jour de Torca,
> Une toile peinte ?
> Ces pains de yucca,
> Un songe ? Une feinte ?
>
> Au long d'un chemin
> De très pur délice,
> Je tenais la main
> De mon Eurydice.
>
> Tendre Lolita,
> N'étais-tu qu'une ombre ?
> Au royaume sombre,
> Quel dieu t'emporta ?

> Et ce bel amour
> Dont l'odeur m'enivre,
> A ce mois si court,
> Pourra-t-il survivre ?

Pour avoir donné forme à sa nostalgie, il se sentit apaisé et ferma les yeux. Ayant passé une nuit blanche, il s'endormit et rêva qu'il arrivait à New York, dans une vaste salle, pour y faire une conférence et qu'au dernier moment, il ne savait de quoi il devait parler. Il s'éveilla en sursaut, angoissé. La jolie hôtesse le secouait :

— *My ! You are a good sleeper !* dit-elle. *This is Panama.*

A Miami, il dut lutter avec un douanier américain, impitoyable, à propos de l'étrier d'argent.

— C'est un cadeau qui m'a été fait au Pérou... Il n'a d'autre valeur que sentimentale.

— *Yeah ?* disait ironiquement le douanier... *Sentimental, is it ? But it's also solid silver and an antique... Sentimental silver, eh ?*

Enfin tout s'arrangea.

16

DOLORÈS GARCIA A GUILLAUME FONTANE

Hôtel Granada
  BOGOTA.

Je vous regardais partir, les yeux voilés d'amertume, quand tout d'un coup l'avion vous mangea.
C'était fini... Adieu ton beau regard, adieu tes
belles paroles. J'étais suspendue dans l'espace,
comme un nuage de pluie, tout imprégnée de
tristesse et de mélancolie. J'ai mordu mes lèvres
très fort et la douleur m'empêcha de fondre en
larmes. Il fallait parler, dire des choses banales.
Heureusement, Manoël Lopez vint à mon secours.
Il me prit par le bras et, avec une délicatesse
dont je me souviendrai toujours, m'accompa-
gna jusqu'à la voiture où il me parla de toi, très
bien... Et maintenant me voici seule dans ma
chambre, seule avec cette mortelle sensation
d'angoisse, avec cette souffrance. Peut-être ai-je
tort de t'écrire sur ce ton ? Mais si je souffre,
c'est parce que je t'aime et je remercie le Ciel
de cette souffrance. Ton bras allongé, ta main
sur mon épaule, et ce dernier regard chargé
d'amour... Que Dieu vous bénisse, cher Guillaume,
pour tout ce que vous m'avez donné.

                                        DOLORÈS.

Hôtel Pierre
NEW YORK.

J'ai reçu ce matin ta première lettre, Lolita. Ah !
quelles images à la seule vue de ton écriture !
Je revois ton visage, ta taille étroite et ce froncement de sourcils qui, au cœur même d'une
foule, maintenait entre nous quelque commerce
intime et secret.

> A Lima, chez la Périchole,
> Je connus la *compañera ;*
> Elle était belle, grave et folle.
> Le Seigneur nous pardonnera.

> A Bogota, par un beau soir,
> La señora se fit statue
> Si parfaite, hélas, qu'à la voir
> Toute ma sagesse s'est tue.

> Ah ! que j'aimai cette piscine
> Où soudain, par un jeu nouveau,
> La sirène se fit ondine
> Et le corps entrevu plus beau.

> Sortant des eaux, cheveux épars,
> L'ondine est devenue Méduse...

Faut-il continuer ?... Ou bien est-ce indigne de
toi — et de moi ? Que je regrette de n'être pas
allé, avec toi, passer quinze jours à Medellin.
Tu serais venue frapper à ma porte ; tu aurais
dit : « Est-ce que je peux rester un instant ? »

Nous aurions eu, dans nos chambres, de grandes brassées d'orchidées et j'aurais fait, pour l'hiver, ma provision de souvenirs. *Ay Lolita !*

DOLORÈS GARCIA A GUILLAUME FONTANE

J'ai reçu tes deux lettres, Guillaume, celle de l'avion et celle de New York. C'est facile et simple à écrire. Pourtant j'ai l'impression d'avoir, dans mes mains, tout le bonheur du monde. Depuis ton départ, je m'étais abandonnée à la tristesse et voici que tes lettres m'ont rendu l'espérance. Ça te plaît d'avoir fait ce miracle, *no* ? Cette divine visite de mots qui viennent de ton âme et qui passent par mes yeux, cette vérité d'un sentiment qui ne peut être feint, voilà ce que je sens dans ces petits feuillets. Je vais te faire une confession : à force de lire et de relire, j'ai fini par apprendre par cœur tes petits poèmes. C'est peut-être enfantin, mais c'est vrai... « *La sirène se fit ondine...* » J'ai revu la scène et j'ai été comme inondée par la beauté de ce jour. Dire que tout cela fut vrai ! C'est un rare privilège, Guillaume, que d'avoir vécu de telles heures et nous avons été *choisis. Hasta pronto, tesoro.* J'existe parce que j'aime et, si tu étais dur avec moi, je pourrais mourir. Je regarde mon corps embelli par ce miracle et je caresse mon visage parce qu'il t'appartient. Allons ! Je vais porter cette lettre et je suis jalouse de sa destinée. Pense à moi comme je pense à toi. C'est tout ce que je te demande.

DOLORÈS.

P.S. — Suis-je si charmante que ça ?

GUILLAUME FONTANE A DOLORÈS GARCIA

Vous avez fait pour moi, chérie,
Un été de la Saint-Martin
Si pur, que le soir de ma vie
En est devenu le matin.

Hélas ! les roses de septembre
Aux premiers froids vont défleurir
Lolita, j'ai peur de décembre
Et je voudrais ne plus vieillir.

New York, 19 octobre, par un dimanche de solitude, de rêverie passionnée, de regrets et de mélancolie.

DOLORÈS GARCIA A GUILLAUME FONTANE

J'ai refait, seule, cette longue route désertique de Bogota à Lima. Je cherchais ton regard à mon côté. J'avais l'impression d'incarner un personnage souffrant, malheureux, accablé, qui n'aurait pas le droit de s'exprimer et je cherchais à le jouer bien, sans affectation. Je suis sûre que tu me comprends. Maintenant, me voici revenue à Lima. Déjà le jeune homme triste a téléphoné, puis Hernando Tavarez qui voulait des nouvelles de ton voyage, et la gentille Marita Miguez. Que de choses et de gens ici me feront désormais penser à toi ! Ecris, Guillaume, écris des lettres *tiernas y enamoradas*, et souviens-toi qu'ici, dans cette ville étrange et mystérieuse, il y a une femme dont le miracle de l'amour a transformé la vie.

DOLORÈS.

Lima, vendredi, à cinq heures.

Je pars demain pour la France, Lolita. Mon
ultime conférence eut lieu hier soir, à Philadelphie. Je parlais de Corneille. En fait, j'ai parlé
de nous. Ah ! que n'étais-tu là ! Il est vrai que
tu n'aurais pas assisté à cette séance. Tu aurais
trouvé, à Philadelphie, quelque auteur dramatique aussi puissant que sa Cadillac... Mais je suis
méchant alors que mon cœur est plein de toi.
J'ai tant aimé tes lettres « *tiernes y enamoradas* ».
Ton français est beau parce qu'il est simple.
« Je caresse mon visage parce qu'il t'appartient »,
que cela est bien dit...

« Ce soir, comme en notre veillée funèbre de
Bogota, il me faut boucler des valises. Hélas !
la tête blonde n'est plus dans la chambre. Par
ma fenêtre, du vingtième étage, je vois alterner
dans l'avenue feux verts et feux rouges, éme-
raudes et rubis. Portes-tu ma croix d'or, *querida* ?
Au moment de rejoindre un monde si différent
de la bulle enchantée où nous vécûmes pendant
deux semaines, il m'arrive de penser comme toi :
« Dire que tout cela fut vrai. » Mais ce point
lumineux remplit mon univers.

TROISIÈME PARTIE

Ouvre le cœur du prochain — qui est le tien — mais ne t'arrête aux ordures qui sont le trésor de tout cœur humain. Va plus avant et ne cesse que tu n'aies trouvé l'innocence, la nécessité...

PAUL VALÉRY.

1

Hervé Marcenat apprit, par les journaux, que Guillaume Fontane arriverait le 27 octobre, par l'*Ile-de-France*. Il demanda, par téléphone, à Mme Fontane si elle souhaitait qu'il l'accompagnât au Havre.

— Au Havre ? dit-elle. A quoi bon ? Il y aurait, au paquebot, une foule odieuse ; je pourrais à peine parler à mon mari. Ensuite ce serait le retour à Paris, dans un compartiment plein d'étrangers... Non, j'irai le chercher à la gare Saint-Lazare.. Cela suffit... Et Guillaume sera très content s'il vous y voit aussi.

La voix était froide et lasse. Etait-ce là le ton d'une femme qui va revoir son époux après une si longue absence ? Marcenat vint attendre le train à Saint-Lazare et trouva sur un banc, nerveuse, fatiguée, Pauline Fontane. Hervé, debout devant elle, parla de la joie qu'elle devait éprouver ; elle répondit par des phrases prudentes et détourna la conversation vers des chemins de traverse : le dernier roman de Bertrand Schmitt, une répétition générale de Léon Laurent, la voiture neuve qu'elle avait enfin obtenue de Larivière pour le retour de Guillaume. Son air crispé gêna Marcenat, qui fut soulagé quand il vit la foule se ruer vers les quais. Le train transatlantique entrait en gare avec majesté. Hervé eut peine à frayer un passage pour Mme Fontane. Une vague de voyageurs déferlait ; il fallut remonter le courant. Enfin il vit de loin un homme qui regardait de tous côtés avec angoisse et apostrophait un porteur en levant sa canne vers le ciel. Hervé courut au-devant de Fontane et lui trouva bon visage, rajeuni, bronzé.

Marcenat le pilota vers Pauline. Les époux s'embrassèrent et se regardèrent, avec cet étonnement inavoué que l'on éprouve en revoyant, après une longue absence, des êtres familiers.

— Vous avez de nouveau un peu maigri Pauline, dit Fontane affectueusement. Il est temps que je revienne veiller sur vous.

— Oui, dit-elle, grand temps !

— Ah ! mon bon ami, dit Fontane à Hervé, quel voyage ! *Ovidius Naso* avait préparé ma tournée superbement et magnifiquement... Et quel continent ! Là est l'avenir de l'espèce humaine. On y retrouve la tradition romaine, mais poivrée d'Orient, rajeunie par l'influence américaine... Et leur culture française ! Pensez que les jeunes femmes, là-bas, savent par cœur Laforgue, Max Jacob, Apollinaire !

— Vous exprimerez votre enthousiasme plus tard, Guillaume, dit Mme Fontane. Il faut maintenant passer à la douane.

Sa voix glacée enveloppa le groupe d'un nuage de contrainte.

La période qui suivit immédiatement ce retour ne fut pas, pour le ménage Fontane, un temps de malheur, ni d'hostilité, mais de malaise et de tension. Pauline gardait une évidente réserve et scrutait, avec sa redoutable perspicacité, les propos et actions de son mari. Les sujets de méfiance ne lui manquaient pas. Guillaume Fontane était revenu de ce voyage un autre homme. Il le racontait avec une exaltation qui surprenait, et parfois choquait, ses amis.

— Je suis prête, disait Edmée Larivière, à croire que Bogota est un séjour divin, mais enfin Guillaume n'a jamais parlé ainsi de Florence ni de Tolède !

Elle notait aussi qu'il discourait volontiers sur l'amour, avec une autorité chargée de sous-entendus, qui amusait des interlocuteurs plus jeunes. S'il assistait, au Théâtre-Français, à une reprise de *Bérénice,* il allait répétant dans les couloirs : « Est-ce beau ?... Non, tout de même, est-ce beau ? » et déclamait :

Pour jamais ! Ah ! seigneur, songez-vous en vous-
[même
Combien ce mot cruel est affreux quand on aime ?
Dans un mois, dans un an, comment souffrirons-
[nous,
Seigneur, que tant de mers me séparent de vous ?
Que le jour recommence et que le jour finisse
Sans que jamais Titus puisse voir Bérénice... ?

Il était naturel qu'il louât ce qui était, en effet,

admirable, mais pourquoi récitait-il cette tirade comme si elle avait été une confidence personnelle et comme s'il devenait, lui Fontane, le Titus éploré de quelque Bérénice dont l'eussent séparé « *tant de mers* » ?

Pauline Fontane était trop fine pour ne pas saisir ces nuances. Elle remarquait que son mari faisait, à tout propos, l'éloge de l'amour charnel. « Point de beauté profonde sans profonde sensualité », devenait un de ses thèmes favoris. Il s'intéressait avec passion à la littérature espagnole et envoya soudain au grenier une centaine de livres français pour faire place, auprès de lui, à Lope de Vega, à Calderon, et à Federico Garcia Lorca. A ceux qui lui demandaient ce que serait son prochain ouvrage, il parlait d'une sorte de drame sur Abigaïl, la vierge de Sunam, qui réchauffe la vieillesse du roi David. Parfois aussi d'un *Faust*. Surtout il guettait le facteur avec une impatience que rien n'expliquait. Alexis, qui jamais ne l'avait vu ainsi, s'en étonnait mélancoliquement.

— Pourquoi Monsieur vous avait-il sonné ? lui demandait Pauline.

— Madame, c'est la *troisième* fois que Monsieur me demande si le courrier est arrivé ! disait Alexis en levant les yeux au ciel.

Edmée Larivière convoqua Hervé Marcenat quai de Béthune et l'interrogea :

— Tu as connu les escapades, aux Antipodes, de ton bon maître ?

— Non... Que veux-tu dire ?

— La mère Saint-Astier m'a montré une lettre de son fils, qui était Chargé d'Affaires à Lima au moment du passage de notre Guillaume. Il paraît que celui-ci s'y est fait enlever par une belle comédienne, dont j'ai oublié le nom, et qu'elle l'a suivi dans ses voyages.

— Ce n'est pas possible !

— Mais c'est vrai.

— Pourvu que Mme Fontane ne l'apprenne pas !

— Il me paraît assez difficile qu'elle l'ignore, dit Edmée. Trop de gens à Paris le savent. Personne n'est plus bavard que les diplomates ; ils croient que leur honneur est engagé à ne rien ignorer. Ils gaffent diplomatiquement, consciencieusement, délibérément, mais ils gaffent bien. Et Pauline, hélas, n'a pas que des amis. Elle a écarté, de ses dimanches, beaucoup de femmes qui ne la rateront pas !... Ne prends pas cet air tragique, mon petit. Cette historiette est fort différente de l'affaire Nedjanine. Wanda vivait en France, tentation permanente. Celle-ci est à l'autre bout du monde. Il paraît d'ailleurs qu'elle est adorable... Je me demande, ajouta rêveusement Edmée, pourquoi elle s'est attaquée à Guillaume ?

— Il est intéressant ; il est célèbre.

— Oui, mais enfin il a près de soixante ans, et que pouvait-il apporter à une actrice ?... Il ne fait pas de théâtre... Non, je suppose qu'il a dû être là-bas, pendant quelques semaines, le lion de la saison... Au fond nous avons toujours besoin, nous femmes, de nous rehausser de quelque chose ou de quelqu'un... Il nous faut des pierre brillantes ou des hommes brillants. Pourquoi ? Parce que nous sortons à peine de l'esclavage et que nous ne sommes pas encore très sûres de notre position dans le monde. C'est cela, au fond, notre faiblesse. A chaque instant, nous voulons être rassurées et seule cette garde mâle, autour de nous, calme nos craintes.

Hervé répondit que beaucoup d'hommes éprouvent le même besoin de se rehausser artificiellement, qu'ils courent après les cravates rouges comme les femmes après les colliers de diamants, que bien des ambitions puériles, et mâles, se justifient par des complexes d'infériorité.

— C'est différent, dit-elle. L'homme ambitieux cherche à briller par ses œuvres, ou au moins à propos de ses œuvres. La femme cherche un éclat qu'elle puisse refléter. *Exemple :* la conquête de Guillaume par cette Péruvienne. Il paraît qu'elle est une grande actrice, reconnue pour telle. Cela devrait lui suffire. Non, il lui faut aussi le lion de passage... Enfin tout ça n'est pas très grave. Notre Guillaume se consolera et je te promets que ce n'est pas moi qui ouvrirai les yeux de Pauline.

Mais Hervé la sentit légèrement irritée par cette intrusion d'une étrangère dans la vie de ses amis.

3

Il en est des confidences comme des femmes ; celles que nous désirons trop fort nous fuient, celles que nous redoutons nous poursuivent.

Hervé Marcenat ne voulait à aucun prix, en cette nouvelle aventure, devenir le confident de Guillaume Fontane ; dès qu'il était seul avec celui-ci, il sentait tourner autour de lui, comme un orage lent à éclater, une confession menaçante. La maison de Neuilly paraissait rentrée en l'ordre accoutumé ; les dimanches rituels avaient repris, mais Mme Fontane demeurait préoccupée, absente, et son mari ne s'était pas remis au travail.

Un jour, comme le jeune Marcenat avait déjeuné rue de la Ferme, Pauline Fontane étant sortie tout de suite après le repas, il sentit qu'il n'échapperait pas plus longtemps au rôle qu'il appréhendait. A chaque phrase de Fontane, le secret affleurait et, seul, le refus de comprendre opposé par Hervé avait, deux ou trois fois, rejeté l'aveu aux profondeurs. Enfin Fontane n'y tint plus et dit :

— Il faut, mon bon ami, que je vous parle d'une affaire qui me tourmente. L'obligation où je suis de me taire accroît mon angoisse et je sais que *vous* ne me trahirez pas. Voici...

Sur quoi il raconta ce qu'Hervé avait déjà entendu d'Edmée Larivière : qu'il avait rencontré, sur la côte du Pacifique, la plus aimable des femmes ; qu'elle était la poésie même ; qu'elle l'avait accompagné dans ses voyages. Malheureusement, depuis qu'il était à Paris, il ne recevait plus de nouvelles et cherchait en vain à expliquer ce silence :

— Elle m'avait adressé, à New York, les plus jolies lettres du monde... Jolies ! Je devrais dire : les plus belles, les plus émouvantes... Ici, rien. Craint-elle que mon courrier ne soit surveillé ?

A-t-elle mal compris mon adresse ? Pour moi je n'ai cessé d'écrire, presque chaque jour, de trop ardentes épîtres auxquelles je mêle, comme faisait Voltaire, quelques vers, car elle semble les aimer... Ils sont malhabiles, et même détestables ; je ne suis pas, hélas, un poète au sens technique du mot, mais ils partent du cœur comme la *Chanson du Roi Henri*... Tenez, mon ami, lisez...

Avec un mélange de répugnance et de curiosité, Hervé lut :

COMPLAINTE DE CELUI QUI NE REÇOIT PLUS DE LETTRES

> Quand finira notre misère ?
> Pas de bien longtemps, j'en ai peur !
> Point de lettres, ô ma très chère ;
> En vain je guette le facteur.
> Quand finira notre misère ?
>
> Quand finira notre folie ?
> Les temps sont durs, le ciel est noir.
> Si jamais Lolita m'oublie,
> Je perdrai mon dernier espoir.
> Quand finira notre folie ?
>
> Quand finira ce long silence ?
> Un mot et je serai guéri,
> Mais rien n'interrompt plus l'absence.
> Une ombre a passé sur Paris.
> Quand finira ce long silence ?

Hervé Marcenat rendit la feuille à Fontane sans rien dire. Il était à la fois compatissant, surpris et gêné. Fontane plia la feuille et la mit dans une enveloppe *Air Mail*, qu'il cacheta.

— Venez avec moi, mon bon ami. Nous irons acheter des timbres et confier ce pauvre poème à la poste aérienne... « La poste des nuages », comme elle dit. Eh oui ! Je ne puis laisser de telles lettres dans mon courrier. Pauline ne tarderait pas à me demander qui est la señora Doña Dolorès Garcia. Alors tous les deux ou trois jours, sous un prétexte quelconque, je vais le porter moi-même avenue de Neuilly. C'est une agréable promenade.

Ils entrèrent ensemble dans le Bois et longèrent le petit lac de Saint-James. Les masses dorées et chevelues des feuillages d'automne jaillissaient de l'île. Un cygne glissait lentement sur l'eau noire, laissant derrière lui un double sillage. Puis ils traversèrent un bois de pins dont les fûts, régulièrement alignés, et les ombres mystérieuses rappelèrent à Fontane les oliviers de Lima. Il essaya de les décrire à Hervé !

— Ce feuillage pâle, au clair de lune, me parut baigné dans une lumière... heu !... surnaturelle. Ah ! mon ami ! En ces quelques semaines, j'ai plus vécu là-bas qu'en ma vie tout entière. Comment mesurer la longueur d'un temps aboli sinon par la quantité d'images laissées par lui en notre esprit ? Chacun des jours passés avec Dolorès vaut, dans ma mémoire, une année.

Hervé parla du danger qu'il y aurait à se complaire en de tels souvenirs. Pourquoi entretenir une correspondance que condamnaient à la fois la distance et la sagesse ? Il était inévitable que Mme Fontane finît par découvrir cet échange de lettres brûlantes. Que ferait-elle ? Déjà certaines de ses amies avaient eu vent de cette aventure et l'on en jasait. Pourquoi ne pas mettre le point final à une intrigue, peut-être délicieuse, mais qui ne pouvait durer ?

— Je m'étonne, mon cher maître, qu'un sceptique comme vous veuille jouer sa vie, et celle d'une autre, sur un sentiment aussi fragile.

— Fragile ! Ne croyez pas cela, mon ami... Mon scepticisme, comme vous dites, ne peut que renforcer mon attachement. Si la vie n'est, ainsi que le croit votre ami Constant, qu'une apparition bizarre, sans avenir comme sans passé, alors pourquoi, et à qui, sacrifier une chance de bonheur ?

— Je vous répondrai, dit Hervé, par une phrase du même Benjamin : « *La grande question dans la vie, c'est la douleur que l'on cause, et la métaphysique la plus ingénieuse ne justifie pas l'homme qui a déchiré le cœur qui l'aimait.* »

Fontane, touché, s'arrêta et leva sa canne vers le ciel :

— Ah ! très beau ! dit-il... Et trop vrai !... Bien sûr, rien ne justifie la douleur que l'on cause... Mais quand le choix est entre deux cœurs, et qu'il faut déchirer l'un ou l'autre ? Comment rompre délibérément avec celle à qui l'on doit les moments les plus parfaits de sa vie ? Non, mon ami, ce ne sont pas là choses que l'on sacrifie sans y être contraint.

— Mon cher maître, votre sacrifice est fait. Il date du jour où vous l'avez quittée.

— Ne croyez pas cela non plus... Nous nous sommes jurés de nous revoir. Il y aura des moyens. Elle peut venir jouer en Espagne, je puis refaire, en Amérique Latine, une tournée de conférences... Tout est possible quand on le veut avec force. La distance ne tue pas un tel sentiment ; elle le renforce et... heu !... le purifie.

— Et Mme Fontane ?

— Mais, mon ami, tout cela n'a rien à voir avec ma femme ; je ne veux, à aucun prix, qu'elle en souffre ; je l'ai dit à Dolorès qui le comprend. Tout cela se passe sur un plan très élevé.

Les feuilles mortes, avec un crissement soyeux, étouffé, craquaient sous leurs pas et ce son mélancolique évoqua, pour le jeune homme, la première promenade qu'il avait faite, un an auparavant, sous les mêmes arbres jaunissants, avec le même compagnon. En ce temps-là Guillaume Fontane était, à ses yeux, énigmatique et magistral. Il le connaissait maintenant faible, transparent. Il ne l'en aimait que mieux.

4

Edmée Larivière voulut donner un dîner pour fêter le retour de Fontane. Elle avait invité les Saint-Astier, qui souhaitaient des nouvelles directes de leurs fils ; les Bertrand Schmitt ; le tonitruant journaliste Bertier et, à la grande surprise d'Hervé Marcenat, sur la requête expresse de Pauline Fontane, Wanda Nedjanine. Bertier accueillit Fontane par des reproches amicaux :

— Mon cher maître, vous me rendez jaloux.

Vous venez de faire trente mille kilomètres et vous paraissez plus jeune qu'au départ... C'est scandaleux ! Vous avez conclu un pacte avec le Seigneur des Ténèbres !

— Mon fils, dit Mme de Saint-Astier de sa voix aigre, nous a écrit, en effet, que la jeunesse de M. Fontane a surpris toute l'Amérique... Vous avez vu, à Lima, notre Geoffroy, mon cher maître ?

— Je l'ai vu, madame, et il a eu la bonté d'organiser pour moi, à la lisière d'un bois sacré, de bien intéressantes rencontres...

— C'est ce qu'il nous a dit ! coupa Mme de Saint-Astier, d'un ton si lourd d'insinuations que son mari lui saisit le bras pour la rappeler à l'ordre.

— Et comment avez-vous aimé ces pays ? demanda-t-il à Fontane.

— Guillaume pense que le Paradis est sur la côte du Pacifique, dit amèrement Pauline Fontane. N'est-ce pas, Guillaume ?

— Je n'ai jamais dit cela, Pauline ; j'ai dit que ces pays m'ont charmé. Ils vous eussent ravie vous-même, si vous m'aviez fait le plaisir de m'y accompagner.

Edmée prit des mesures énergiques pour diviser le groupe. Hervé se trouva, dans un coin, à côté de Wanda.

— Mais, dites-moi, Hervé, votre Guillaume !... Ce n'était pas la peine de l'arracher à la fille inoffensive que j'étais pour le livrer à une enchanteresse, cent fois plus dangereuse.

— Comment ? dit Marcenat. Vous aussi, vous avez entendu cette histoire ?

— Figurez-vous, dit-elle, que je fais le portrait d'un jeune écrivain chilien, Pablo Santo-Quevedo... Il a dû s'exiler en Europe, pour raisons politiques, et je le trouve plein de chaleur, d'originalité, enfin quelqu'un... Or, là-bas, Pablo a été l'amant d'une certaine actrice, Dolorès quelque chose, dont Guillaume s'est épris et qu'il a enlevée. Oui, croyez-vous ? Enlevée ! Il n'y a plus d'enfants.

— Et que dit votre Pablo de cette jeune femme ?

— Oh ! dit-elle, Pablo n'est pas un bon juge ; il l'a aimée... A l'en croire, elle a toutes les grâces, et un vrai génie de comédienne. Mais plus dangereuse, dit-il, on ne fait pas. Elle aurait brisé plusieurs ménages, torturé son propre mari, affolé des jeunes hommes qu'elle a ensuite quittés, tels Pablo lui-même quand il a cessé de lui plaire... Il la croit capable, si elle veut vraiment Guillaume, de le faire divorcer.

— Ne dites pas des choses absurdes, Wanda. Cette femme est à l'autre bout du monde. Et pourquoi voudrait-elle Guillaume ? Je vous le demande !

— Je n'en sais rien, mon petit Hervé. Pablo prétend que, si jamais elle décide de rappeler Fontane, il quittera tout et que, si elle préfère venir en Europe, elle aura les gouvernements de tous les pays à son service pour organiser son voyage... Pablo est superstitieux ; il dit que cette Dolorès a du sang gitan ; qu'elle sait envoûter, jeter des charmes, et tout, et tout... Jamais un homme ne lui a résisté, que dit Pablo... Voilà, Hervé, les mains entre lesquelles vous avez remis

187

votre maître après l'avoir délivré de moi. C'est du beau travail, cousu main.

Après le dîner, Pauline Fontane alla s'asseoir sur un canapé avec Mme de Saint-Astier :

— Je sais que votre fils a été très gentil pour Guillaume ; remerciez-le de notre part à tous deux.

Mme de Saint-Astier toussa :

— Geoffroy a été heureux du succès de M. Fontane dont le talent a servi, admirablement, notre prestige... Cependant... Ecoutez, ma chère, je crois qu'entre femmes on doit se soutenir. Ne laissez pas votre mari retourner dans ces pays.

— Il n'en a pas l'intention. Pourquoi dites-vous cela ?

— Ma chère, j'ai horreur des potins et Geoffroy me blâmerait de vous répéter ce qu'il m'a dit de manière confidentielle... Mais je crois de mon devoir de vous mettre en garde. Votre mari escortait, à Lima, de manière trop constante, une amie de mon fils qui d'ailleurs est la plus grande actrice de ces pays... Notez que je n'insinue rien. Je vous signale un danger, voilà tout.

Pauline affecta une souriante sécurité :

— Ne vous inquiétez pas pour moi. Nous sommes mariés depuis vingt-cinq ans. Guillaume aime la société des femmes. J'avais refusé de l'accompagner. Il a cherché une interprète, un guide. Tout cela est naturel.

— Vous ne connaissez pas cette femme ! Geoffroy dit que c'est une enchanteresse !... Ma chère, il faut se méfier des hommes de cet âge. Moi, je ne laisse jamais Hector voyager seul... A votre place, je parlerais à mon époux.

Un peu plus loin Guillaume Fontane, entouré d'un cercle de femmes, discourait sur le théâtre espagnol. Pauline, le regardant, pensait : « Mon Dieu ! qu'il a l'air heureux... Dois-je m'abaisser aux aigreurs de cette vieille sotte ? » Mais elle souffrait.

5

Guillaume sentait que ses rapports avec sa femme perdaient, de plus en plus, tout caractère de confiante intimité. C'était Pauline qu'il blâmait de ce changement. Il ne pensait pas qu'elle sût rien de Dolorès et se félicitait de la prudence avec laquelle il avait caché sa passion.

De l'enthousiasme naïf et révélateur avec lequel il parlait de l'art précolombien, de la savane ou des Andes ; de son goût, absurde et subit, pour tous les Sud-Américains de passage à Paris ; de son attitude, véritablement insensée, pendant un récital de chants *flamencos* au théâtre des Champs-Elysées, il n'était pas conscient. Aussi ne pouvait-il comprendre pourquoi Pauline demeurait sombre et poussait de profonds soupirs, durant les silencieux repas qu'ils faisaient en tête à tête. Il tentait de l'apaiser, la comblait de cadeaux qu'il choisissait avec une affection méticuleuse, mais lui arrachait à grand-peine l'ombre d'un sourire.

Un dimanche après-midi, comme perçait un pâle soleil de novembre, il lui proposa de faire à pied le tour du lac de Saint-James. Elle accepta. Les arbres avaient perdu leur feuillage d'automne et les eaux étaient basses.

— Quel rôle, dit-il, ce petit lac aura joué dans notre vie ! Il nous a vus heureux et désespérés, jeunes et vieux, vigoureux et malades. On pourrait presque mesurer notre santé par le temps que nous mettons à en faire le tour.

Pauline s'arrêta sous un saule, dont les branches trempaient dans l'eau, et lui fit face :

— Et en ce moment ? dit-elle. Comment nous trouve-t-il ? Séparés à jamais ou luttant encore pour maintenir la fiction d'un ménage ?

— Je ne vous comprends pas, balbutia-t-il.

— Moi, non plus, Guillaume. Je ne comprends pas ce que vous souhaitez. Avez-vous, ou n'avez-vous pas une maîtresse péruvienne ?

Stupéfait, atterré, il hésita un instant, regarda l'eau, le ciel, puis dit lentement :

— Oui, j'ai rencontré pendant ce voyage une femme que j'ai beaucoup aimée.

— Je vous remercie de m'avoir au moins répondu avec franchise ; j'étais décidée, si vous aviez menti, à vous quitter dès ce soir.

La violence de l'émotion qu'il éprouva lui permit soudain de mesurer combien il tenait à Pauline. Il lui semblait que la vie se dérobait sous lui. Après un silence, ils reprirent leur marche côte à côte, dans le sentier qui borde le lac.

— Mais comment avez-vous su ? demanda-t-il. J'avais fait de mon mieux...

— De votre mieux ! Et vos incroyables propos, votre naïve fierté ? Mais vous ne pouviez plus ouvrir la bouche, Guillaume, sans crier votre amour ! Tous nos amis vous observaient ; c'était ridicule. Même si l'on ne m'avait avertie, j'aurais deviné.

— Car on vous avait avertie ?

— Quel enfant vous faites ! dit-elle. Avez-vous vécu jusqu'à cet âge sans avoir appris que tout se sait, que la haine est aux aguets et que chaque mauvaise nouvelle trouve aussitôt son messager ? Il y a des gens qui n'ont pour bonheur que la souffrance qu'ils infligent... Déjà, de Bogota, j'avais reçu deux lettres anonymes, me disant que vous y affichiez une maîtresse. L'une d'elles contenait des coupures de journaux. Je ne sais pas l'espagnol et je n'ai pas tout compris, mais trois photographies, prises en des lieux divers, vous montraient à côté de la même jeune femme, chaque fois vêtue de façon différente... Cela, je l'ai compris.

Il s'arrêta et leva sa canne vers les nuages :

— Des lettres anonymes ! Quel être ignoble a pu... ?

— Qui sait ? Un amant évincé, une autre femme, un compagnon jaloux ou, tout simplement, un monstre... Le monde en est plein.

— Voilà donc pourquoi vous étiez si froide le jour de mon arrivée ?

— Je ne savais quelle attitude prendre... Je me demandais si cette aventure était sérieuse ou non, passade ou passion. J'espérais encore. Votre exaltation m'a vite éclairée. Le retour, l'éloignement n'avaient pas amené l'oubli. J'ai su, par Alexis, que vous guettiez le courrier. Je me suis même fait montrer par lui une de ces enveloppes, timbrées à Lima, avec votre adresse écrite en belles majuscules, ce qui était une manière bien maladroite de ne pas attirer l'attention...

Fontane voulut défendre l'intelligence de Dolorès :

— Il ne s'agissait pas de... heu !... camoufler une écriture, mais d'être lisible.

— Et comment répondiez-vous, Guillaume ? Je n'ai jamais vu *vos* lettres au courrier.

, — J'allais moi-même les porter à la grand-poste, tous les deux jours, dit-il comme un enfant pris en faute.

Elle s'arrêta de nouveau, tremblante :

— *Vous* avez fait cela ! *Vous* qui ne faites jamais une démarche, jamais une course, vous avez tous les deux jours... pour une femme que vous connaissez à peine...

— Ma bonne amie, on ne peut dire que je la connaisse à *peine*.

— Oui, je sais ; la mère Saint-Astier m'a raconté l'autre jour, chez les Larivière, que vous avez voyagé ensemble... Enfin, Guillaume, comment avez-vous pu vous conduire avec cette légèreté.

Ils arrivaient au bout du lac. Un enfant, sur une trottinette, les sépara un instant.

— Mais ne croyez pas, Pauline, que je sois parti pour l'Amérique Latine en quête d'une aventure. Bien au contraire. J'étais résolu, après votre maladie, à renoncer à tout jamais aux innocentes amitiés qui semblaient vous affliger. Mais qui aurait pu résister à cette femme ? Belle, jeune, brillante, parée de tous les prestiges...

— Et vous croyez que, si belle, si jeune, si brillante, elle vous a aimé ?... Enfin, voyons, Guillaume...

— Pourquoi m'aurait-elle suivi à Bogota ?... Je consens que cela soit surprenant ; je ne puis nier l'évidence.

— Mon pauvre ami, dit-elle, que vous êtes crédule ! La mère Saint-Astier, tout en reconnaissant que votre conquête est une comédienne du plus grand talent, m'a dit aussi que c'est une coquette, à la ville comme à la scène...

— Pauline, ceci est digne de la mère Saint-Astier, non de vous ; si je suis crédule, je sais mon métier de lecteur. J'affirme que seule une femme... heu !... amoureuse pouvait écrire les admirables lettres que j'ai reçues.

— Car elle vous écrit des lettres *admirables* ? Ah ! que je voudrais les voir ! dit-elle avec avidité... Ecoutez, Guillaume, je ne consentirai à continuer la vie commune qu'à une condition : c'est que vous me disiez *tout* de cette aventure. Ce que je ne puis supporter, c'est d'être trompée; c'est que vous vous cachiez de moi, par des ruses de comédie. Si je deviens votre confidente, je ne serai plus *trahie* et peut-être alors, avec le temps, pourrai-je vous pardonner... Dites-moi comment elle s'appelle ?

— Ne sera-ce pas *la* trahir à son tour ?

— En quoi ? J'aurai son nom demain, si je le veux. La mère Saint-Astier n'a qu'à le demander à Geoffroy... D'ailleurs on me dit aussi qu'il y a en ce moment à Paris, un jeune Chilien qui a été, bien avant vous, l'amant de votre dulcinée.

Fontane fut troublé, mais il eut la force de faire front :

— C'est possible... Dolorès n'a jamais prétendu être vierge, ni même fidèle; mais elle a bien voulu me dire que les vingt jours passés avec moi ont été...

— Les plus heureux de sa vie ?... Etes-vous, à votre âge, dupe de phrases vieilles comme le monde ? Mais vous avez dit *Dolorès*... Dolorès *qui ?*

— Dolorès Garcia, avoua-t-il dans un soupir las.

Ils arrivaient rue de la Ferme, à la porte de leur maison.

— Vous me donnerez son adresse, Guillaume. Je veux lui écrire.

— Lui écrire ! dit-il, très alarmé, en poussant la grille. Et que pourriez-vous lui dire ?

— Mille choses, je vous assure... Qu'il n'est pas beau de s'emparer d'un homme marié sans se demander si l'on ne fera pas le malheur d'une autre femme ; mais que si elle tient sincèrement à vous, elle peut vous avoir, car je ne m'opposerai pas à un divorce.

Ils se turent un instant, parce qu'Alexis était venu ouvrir. Dès qu'il les eut débarrassés de leurs manteaux, Guillaume rejoignit Pauline dans sa chambre.

— Un divorce ! Il n'est pas question de ça... Pas un instant je ne lui ai offert, ni promis le mariage. Au contraire, je lui ai toujours fait votre éloge. Je lui ai dit que notre ménage était le plus uni du monde, que je ne pouvais me passer de vous...

— Et elle l'acceptait ? Et vous dites qu'elle vous aimait !

— Elle ne l'acceptait pas. Elle me disait · « Je n'aime pas que tu me parles de ta femme. »

— Quoi ? Elle vous tutoie ! Ce que je n'ai pu obtenir en vingt-cinq ans de mariage, elle l'a eu de vous en vingt jours ?

— Ce n'est qu'une question de langage, ma bonne amie... En espagnol, on tutoie tout le monde... Comprenez, Pauline, que je n'ai jamais cherché à établir, entre vous et elle, une comparaison, une compétition. Vous étiez, vous êtes ma femme ; je me sentais, après ce voyage, tout heureux de revenir à vous. La preuve en est que Dolorès était prête, au moment où je l'ai quittée, à venir passer quinze jours avec moi dans un hôtel isolé et que je ne l'ai pas voulu, pour ne pas retarder mon retour en France... Mais un homme n'est pas simple et, que diable ! il a tout de même droit, de temps à autre, à quelques jours de rêve...

— Vos rêves sont bien en chair, dit-elle amèrement.

A ce moment Alexis apporta le thé, de l'air affligé et discret d'un vieil ami qui comprend, mais n'ose intervenir.

6

Après cet aveu, la vie du ménage Fontane fut, non plus heureuse, mais plus animée. Guillaume avait donné à sa femme l'adresse de Dolorès Garcia. Dès que les deux époux étaient seuls, Pauline mitraillait son mari de questions :

— Comment l'avez-vous rencontrée ?... Que vous a-t-elle dit ?... Qui, de vous deux, a le premier transformé cette amitié en amour ?... Quand est-elle venue dans votre chambre ? Sous quel prétexte ?... Qu'avez-vous fait alors ?

Fontane qui avait plus d'imagination que de mémoire, essayait de combler les vides de ses souvenirs, mais l'implacable précision de Pauline découvrait aussitôt les interpolations :

— Guillaume, ne mentez pas ! Vous me dites que le petit Saint-Astier l'a invitée à déjeuner avec vous, sans que vous lui ayez jamais parlé d'elle. C'est invraisemblable. Pourquoi l'aurait-il invitée ?

— Mais je n'en sais rien, moi ! Suis-je donc le gardien du petit Saint-Astier ?... Parce qu'elle a, dans son pays, une grande situation.

Souvent, comme il s'enfermait tout le jour dans la bibliothèque, Pauline ne commençait que vers dix heures du soir ses terribles interrogatoires ; mais elle les poursuivait, jusqu'à deux ou trois heures du matin, avec une persistance de maniaque. Elle prétendait reconstituer chacune des fatales journées.

— Ce Castillo, Guillaume, quelle était son attitude envers vous ?... Semblait-il jaloux ou, au contraire, triomphant ?

— Croyez-vous que je m'en souvienne ? Je ne retiens pas comme vous, avec une vaine exactitude, toutes les images du passé... Déjà celle même de Dolorès, en certains jours, m'échappe.

— Vous essayez donc de la retrouver ?

Souvent il restait devant elle silencieux, tête basse, comme un criminel que presse un juge d'instruction trop tenace. Puis, après cinq ou six questions demeurées sans réponse, il gémissait :

— Mais vous me tuez, Pauline ! Ceci est l'enfer !

— Et pour moi, répondait-elle, n'est-ce pas plus terrible ?

Guillaume, épuisé de sommeil, s'efforçait en vain de rompre l'entretien. S'il faisait allusion à l'heure :

— Je suis certaine, disait-elle, que vous ne marchandiez pas les heures de la nuit à votre maîtresse.

— Et c'est en quoi vous vous trompez ! Elle m'appelait *Cendrillon* parce que je la renvoyais à minuit.

— Et que faisait-elle alors ? Comment rentrait-elle dans sa chambre ?... Ne l'a-t-on jamais vue sortir de la vôtre ?

Il finissait toujours par dire humblement :

— Mais je ne sais plus, moi !... Je ne sais plus...

Comme il ne dormait, chaque nuit, que quelques heures, il se réveillait, chaque matin, las et sans désir de travail. Les lettres mêmes de Lolita ne le consolaient pas. Après trois semaines d'attente, il les recevait de nouveau régulièrement. Quelle avait été la cause de ce long silence ? Il se le demandait avec anxiété. Dolorès parlait d'un voyage dans les Andes. L'avait-elle fait seule ? Elle répétait maintenant une pièce de Castillo. Parfois une phrase d'elle réveillait la passion de Fontane : « Tes vers ont amené sur mes lèvres, écrivait-elle, un sourire heureux qui y a pris racine et qui y est resté... »

Il lui avait écrit, dès le lendemain de la fatale explication au bord du lac, pour l'informer de la situation et pour l'avertir qu'elle recevrait une lettre de Pauline, mais il fallait quinze jours pour avoir une réponse et il ne savait ce que serait la réaction de Dolorès. Il craignait qu'elle ne fût irritée et ne mît fin à une liaison sans avenir. Toutefois il se croyait « loyal » parce qu'il avait fait, dans cette lettre, l'éloge de Pauline et dit qu'il fallait pardonner à celle-ci des excès de langage, dont la force de ses sentiments était la cause.

La seule femme, à Paris, avec laquelle il pût parler librement de la crise qui bouleversait sa vie était Edmée Larivière. Elle lui avait laissé entendre qu'elle était informée de tout et que, sans approuver, elle était prête à écouter des confidences. Il lui faisait de longues visites auxquelles il prenait un vif plaisir, parce qu'il est agréable de parler de ce que l'on aime, et plus doux encore d'en parler avec une femme aimable. Fontane se croyait ennobli, aux yeux d'Edmée, par cette aventure romanesque. Il était d'ailleurs vrai qu'elle recherchait ces entretiens. A défaut de l'amour, les femmes en aiment l'odeur, l'écho ou le reflet.

— Ah ! disait-il, je sais que je dois à Pauline une indulgence plénière, parce que j'ai moi-même si grand besoin de la sienne mais, tout de même, il y a des limites aux forces humaines. Cette quotidienne et nocturne reconstitution du crime... Enfin pourquoi Pauline me fait-elle recommencer dix fois, vingt fois le récit de faits qui ne peuvent lui être que pénibles et sur lesquels, ma mémoire étant vacillante, je me contredis de plus en plus ?

Edmée prenait son air de docteur angélique :

— Nous aimons à faire le point, Guillaume ; nous ne nous lassons jamais d'analyser une situation, ou des sentiments. Vous autres hommes vivez dans l'action ; oui, même le romancier, pour qui l'action est d'écrire son roman... Nous savourons longuement bonheur et malheur... Je comprends très bien Pauline.

— Hélas ! dit-il, j'avoue que, moi, je ne la comprends plus. Que souhaite-t-elle ? Tantôt elle me rend ma liberté et elle écrit à Dolorès de longues épîtres où alternent, j'imagine, les injures et la grandeur d'âme ; tantôt elle dit que mon bonheur est son bonheur, qu'elle ne mettrait pas d'obstacle à de nouvelles rencontres, qu'elle exige seulement qu'on ne lui mente pas et qu'on la traite en amie sûre. Si je l'en crois, elle a écrit à Dolorès : « Vous voulez mon mari ? Il est à vous. Vous êtes plus jeune, plus belle; je m'efface. Venez le chercher et l'épouser... » La malheureuse Lolita a dû être stupéfaite. Elle n'a jamais rien demandé de tel... J'aurais, certes, une joie merveilleuse à la revoir et j'imagine avec bonheur un rendez-vous à Séville, à Grenade, ou dans quelque paradis des Andes. Mais Dolorès à Paris ! Un divorce ! Un remariage ! Il n'en est pas question.

— Heureusement, dit Edmée. Je ne vous vois pas, cher Guillaume, mari d'actrice, jaloux, errant dans les coulisses d'un petit théâtre !... Et puis il y a Pauline. Ne soyez pas dupe de son renoncement, qui n'est qu'une attitude. Pauline vous céderait à l'autre par orgueil, mais elle en mourrait. Je l'ai rencontrée hier chez les Ménétrier ; elle est, à la lettre, ravagée par la douleur. N'oubliez pas, Guillaume, que l'amour de votre femme pour vous est un sentiment très beau. Depuis qu'elle vous connaît, aucun autre homme n'a existé pour elle. Ce n'est pas commun. Dieu sait !

— Ah ! dit-il, je suis écartelé... Ce qui est certain, c'est que nous ne pouvons continuer à vivre ainsi. Que faire ?

— Soyez plus brutal, dit Edmée. Il ne faut pas laisser les femmes en dérive. Elles ont besoin d'être gouvernées.

Après le départ de Fontane, elle reçut la visite de Claire Ménétrier qui, comme elle, s'intéressait curieusement à cette aventure.

— Pauline, dit Claire, est comme une lionne à qui on a enlevé ses petits. Elle cherche, d'un air hagard, la vérité. Elle part en chasse, avec une indiscrétion passionnée, pour s'informer de sa rivale. Croiriez-vous qu'elle a été prendre le thé chez Wanda ? Oui, ma chère, afin d'y rencontrer ce petit Chilien qui a été l'amant de Dolorès Garcia.

— Tiens ! dit Edmée, vous savez le nom de la dame ?

— Bien sûr, dit Claire. Moi aussi, j'ai voulu

connaître le Chilien. Il est gentil ; il a aimé cette femme avec fureur.

— Elle serait donc tout ce que dit Guillaume... Et pourquoi le Chilien s'en est-il détaché ?

— Il suffit de parler avec lui cinq minutes pour savoir qu'il n'est *pas* détaché... Non, mais il a compris qu'un bonheur durable serait avec elle impossible, au moins pour lui, et il a le courage de se tenir à bonne distance... C'est quelqu'un de très bien, ce garçon.

— Quelle explication donne-t-il de cette liaison avec Guillaume ?

— Ce qu'il dit est fin et probablement vrai. Il pense qu'étant avant tout une actrice, elle joue chaque amour comme un rôle nouveau et cherche à le jouer parfaitement. Elle y réussit et, tant qu'elle est en scène, croit à son personnage. Avec Fontane, elle a voulu être la jeune compagne d'un écrivain mûrissant, à la fois admiratrice et amante. Elle a composé le rôle à la perfection et y a été adorable. Ainsi les impressions de Guillaume seraient justes, mais le jeune Santo-Quevedo pense que, dès le départ de Guillaume, elle a pu rencontrer un autre homme et jouer pour celui-ci, avec la même perfection, un rôle tout différent.

— Je vois, dit Edmée... Pourtant elle ne semble pas avoir aussitôt oublié Guillaume ; il m'a lu, tout récemment encore, des lettres émues et ravissantes.

— Pourquoi pas ? Elle jouait à ce moment le rôle de la femme qui écrit, à l'amant lointain, des lettres émues et ravissantes.

— Pauvre Pauline ! Il n'est pas facile pour nous

autres, quotidiennes épouses, de nous défendre contre les comédiennes. Elles ont le talent, le métier, le prestige... Et puis l'art semble toujours plus vrai que la nature.

— Ne sommes-nous pas toutes comédiennes ? dit Claire.

— Oui, mais nous n'avons pas toutes du talent... Pourtant je crois à la victoire finale de Pauline... A moins qu'elle ne gâte son jeu par un excès de violence. En ce moment Guillaume est contrit ; ses remords lui imposent l'indulgence. Cependant je l'ai senti exaspéré par la scène sans fin, tantôt muette, tantôt vociférée, que sa femme lui fait chaque soir. Il ne faut pas oublier que, si Dolorès Garcia est avant tout une comédienne, Guillaume est avant tout un écrivain. Et un écrivain qui ne peut plus écrire devient enragé.

— Les hommes, dit Claire en se levant, subissent les passions. Ils ne les aiment pas.

7

Guillaume Fontane comprenait de moins en moins les actions et réactions de sa femme et de sa maîtresse. Pauline écrivait maintenant presque chaque jour à Dolorès et lui envoyait des présents : un bijou, un foulard imprimé. Dolorès demandait à Guillaume : « *Faut-il répondre et remercier ? J'ai toujours eu, d'après ce que tu m'en disais, du respect et de l'admiration pour* ta femme. *Il me déplaît de penser que, par ma faute, quelqu'un souffre* », mais elle continuait sa lettre par des phrases « *tiernes y enemoradas* ». Donc elle ne choisissait pas la rupture. Il lui conseilla de remercier et, au début de mars, Pauline fit voir à son mari, avec une sorte de fierté, que l'enveloppe aux belles majuscules, timbrée de Lima, était adressée cette fois à *Madame* Guillaume Fontane. Le soir, elle parla dc nouveau, jusqu'à une heure avancée, de céder Guillaume à « l'Occitanienne ». C'était ainsi qu'en souvenir des dernières amours de Chateaubriand, elle appelait, fort improprement, Dolorès. Las de tout, excédé, brisé, il avait l'impression qu'il allait quelque jour se retrouver, Sancho Pança dégrisé, trop lucide, entre ces deux chevalières errantes.

Un matin, Alexis vint annoncer mystérieusement qu'un « monsieur étranger insistait pour voir Monsieur ».

— Je me suis permis, dit-il, de déranger Monsieur parce que ce monsieur est celui qui avait arrangé le voyage de Monsieur, l'été dernier. J'ai pensé...

— Vous avez eu raison, Alexis. Je le recevrai... *Ovidius !*... Bonjour, mon bon ami. D'où venezvous ? Nous nous sommes vus, pour la dernière fois, à Bogota, lieu de délices et de perdition... Qu'avez-vous fait depuis lors ?

— Maîtré, jé souis resté oune pétit peu à Bogota ; pouis j'ai réfait lé tour à l'envers : Lima, Santiago, Buenos-Ayrés, Montevideo, pour organiser tournée... Pouis j'ai visité mon bureau dé New York... Dé là j'ai été Italie, Grèce, Egypté... Vous connaissez l'Egypté, maîtré ?... C'est oune pays où l'on vous adore... Ah ! il souffit dé dire : « Guillaume Fontane », touté les Egyptiennes, elles tournent dé l'œil... Cé n'est pas oune flattérie. La vérité, rien dé plous... Jé vais vous préparer oune tour, maîtré : Alexandrie, Lé Caire et rétour par Athènes et Roma... Cé séra oune triomphe...

— Non, mon bon ami, non... Malgré votre énergie, qui est effroyable, et votre éloquence toute... heu !... cicéronienne, vous ne m'entraînerez point dans ces chemins. D'abord il est fort douteux que je puisse m'absenter. J'ai mal travaillé cet hiver ; ma pauvre femme est souffrante... Et si jamais je me laissais tenter, ce serait plutôt pour retourner sur ce continent que vous m'avez révélé et dont j'ai conservé de si... heu !... paradisiaques souvenirs. Oui, si vous m'en offriez la chance, je reverrais volontiers, non demain, mais quelque jour plus éloigné, le Pérou, la Colombie...

Petresco eut un mouvement d'impatience :

— Maîtré, quand même vous êtes très aimé dans ces pays, vous né pouvez aller toutés les années... Lé poublic, il veut dés nouveaux noms, dès nouvelles têtes... Peut-être dans deux ou trois ans... Et j'aimérais mieux Argentina et Brésil qué Pérou et Colombie, où lé poublic qu'il comprend lé français, il est pétit, pétit... J'y ai perdou beaucoup dé l'argent...

Fontane prit un air modeste et confidentiel :

— Si je pense au Pérou, mon bon ami, c'est parce que je suis resté en correspondance avec cette charmante personne que vous m'avez présentée à Lima : Dolorès Garcia. Elle écrit de bien jolies lettres.

Petresco, à l'ordinaire si déférent, répondit avec brusquerie :

— Comment ? Ça doure encore ? Ah ! maîtré, maîtré...

Puis il demanda s'il pourrait présenter ses hommages à Mme Fontane. Guillaume imagina le torrent de questions qui s'abattrait sur Ovidius :

— Non, mon ami, dit-il, vraiment non... Comme je vous l'ai dit, Mme Fontane est souffrante et ne reçoit personne.

Petresco devint compatissant et un peu fâché :

— Jé lé régrette, maîtré, jé lé régrette énormément, parcé qué j'ai grande sympathie pour Mme Fontane, moi !

« Il a l'air de me donner une leçon », pensa Fontane, et il mit fin à l'entretien assez sèchement.

Un peu plus tard, Pauline Fontane fut appelée au téléphone par Ovide Petresco. Il voulait expliquer qui il était, mais elle l'arrêta :

— Je ne vous ai pas oublié, monsieur. Que voulez-vous ?

Il dit qu'il avait besoin de lui parler, seul à seule, sans que « lé maîtré Fontane » le sût.

— Jé m'excouse d'insister, madamé Fontane, mai c'est énormément important, pas pour moi, mais pour lé maîtré et pour vous... Jé peux vous préserver d'oune grande danger.

Pauline avait une curiosité trop aiguë de tout ce qui se rapportait à ce qu'elle appelait « le fatal voyage » pour n'être pas tentée. Elle objecta seulement que, rue de la Ferme, tout visiteur était exposé à rencontrer son mari.

— Alors, dit Petresco, il faut nous voir en ville. C'est facile. Il y a oune pétite bar où jé vais souvent, rue Tronchet, et où vous né trouvériez certainement personne qué vous connaissez, surtout lé matin... Voulez-vous démain, onze heures ?

Après une seconde d'hésitation, elle accepta.

Le lendemain, elle fit arrêter sa voiture au *Printemps*, traversa les magasins, puis chercha le petit bar dont Petresco lui avait donné le nom. Elle était émue, inquiète, intriguée et mal à son aise. Elle n'avait, de sa vie, accepté un rendez-vous clandestin et redoutait, par avance, ce que pourrait lui dire cet homme dont le nom était lié, pour elle, au pire malheur de sa vie. Mais, avec la détermination et la sûreté des maniaques, elle entra d'un pas délibéré dans une salle étroite et sombre le long de laquelle, des deux côtés, s'alignaient des tables et des bancs de bois, chaque table étant séparée de la suivante par un refend. A la première étaient assis deux jeunes garçons, qui maniaient des timbres et les échangeaient, en inscrivant des chiffres sur deux feuilles de papier. Dès qu'elle eut fait quelques pas, elle vit Petresco qui s'était levé. Il vint à elle, lui baisa la main, la fit asseoir à une table isolée et demanda ce qu'elle voulait boire.

— Mais rien... Je n'ai pas l'habitude... surtout à cette heure-ci.

— Il faut commander quelqué chose... Oune

206

jous dé frouit ?... Oui ?... Garçon, ouné jous d'orange et oune porto flip.

Puis il prit son air sérieux et peiné :

— Madamé Fontane, j'ai voulu vous voir parcé qué jé pense il est mon dévoir dé vous mettre en garde... Comme jé vous ai dit au téléphone, j'aï énormément dé respect et dé sympathie pour vous, et pour lé maîtré, beaucoup dé l'admiration et dé l'affection... Pour ces raisons, jé né veux pas qué la dignité dé votré ménagé, elle soit compromise... Or, j'ai des raisons dé lé craindre... Ah ! madame Fontane, comme vous avez ou tort dé né pas m'écouter quand jé vous ai souppliée d'accompagner votré mari... Vous né savez pas cé qué c'est : oune homme seul dans oune pays où, les femmes, elles sont ensorcélantes.

A la table d'en face s'étaient installés deux hommes qui semblaient grimés pour jouer des rôles de gangsters. Ils discutaient à mi-voix et Pauline saisissait, de temps à autre, un mot : « Trois unités... Se débarrasser de King... » Elle avait l'impression de vivre une scène de mauvais film. Avec peine, elle parla :

— Si c'est de Dolorès Garcia que vous souhaiter m'entretenir, je suis au courant. Mon mari m'a tout dit et je suis moi-même en correspondance avec cette personne. Pourtant vous pouvez m'éclairer sur un point qui me tient à cœur. Comment a commencé leur liaison ? Qui l'a voulue ? Elle ou lui ?

— Elle !... Après lé premier soir, elle m'a dit : « Petresco, j'aurai cet homme-là. » Madamé Fontane, vous né m'avez pas écouté ouné prémière fois, et, lé résoultat, il a été oune désastre !...

Mainténant, oune séconde fois, jé vous avertis et jé dis : « Prénez garde, madamé Fontane... Dolorès n'est pas ouné femme qué l'on oublie quand elle né lé veut pas. »

— Elle est très belle ?

— Bien plous qué belle... C'est oune fée, oune sorcière...

— Et pourquoi voudrait-elle revoir mon mari ? Une fée peut, d'un coup de baguette, susciter d'autres amants.

— Pourquoi ?... Madamé Fontane, avec les femmes, on né sait jamais pourquoi... Dou maîtré, elle attend qu'il la fait vénir à Paris, qu'il écrit des pièces pour elle... Moi jé dis : « Madamé Fontane, né la laissez pas vénir ici, ou vous êtes perdoue ! » Lé maîtré, il vous aime ; quand il parlé dé vous, il n'y a pas dé mots trop beaux... Seulement il a près de soixante ans...

— Et elle vingt-cinq, dit Pauline, je sais.

— Non, madamé Fontane, non ! Elle a trente. J'ai vou son passéport... Mais lé charme, il est inouï. Dès qu'elle verra lé maître, elle lé réprendra... Croyez-moi. Jé souis votre allié, d'abord parcé qué jé vous estime, et aussi parcé qué jé veux emméner lé maîtré dans d'autres pays... Egypte, Italie... Mais là, vous sérez avec nous, madamé Fontane... Vous *dévez*, sans céla, ça récommencéra... Oune autre jus d'orange ?

Elle resta quelque temps encore, le harcelant de questions directes et précises. Qu'il s'agît des dates, des heures, des faits, il était aussi vague que Guillaume. Quand elle comprit qu'elle n'en tirerait rien de plus, elle partit.

Sur la place de la Madeleine, il y avait un marché aux fleurs. Elle acheta des chrysanthèmes. « Fleurs de deuil, pensa-t-elle. Voilà ce qui me convient désormais. »

8

L'amour-passion est une maladie à marche connue mais, comme un médecin savant, et d'expérience, atteint d'un cancer classique, ne reconnaît pas en lui-même les symptômes qui, en tout autre, lui dicteraient un diagnostic évident, c'était sans le savoir que Fontane entrait peu à peu en convalescence. Les lettres qu'il échangeait avec Dolorès demeuraient « tendres et amoureuses », mais le rythme de cette correspondance devenait plus lent. Au contraire, entre Dolorès et Pauline, ce rythme s'accélérait. Guillaume ignorait ce que les deux femmes s'écrivaient et craignait qu'elles ne fissent, contre lui, quelque étrange alliance.

Les amis de Fontanc qui avaient été, les uns alarmés, les autres secrètement satisfaits, au temps de son retour, par les premiers roulements de tonnerre, s'étonnaient de voir l'orage s'éloigner avec si peu de bruit. Edmée Larivière invita Guillaume à venir prendre le thé seul avec elle.

— Qu'avez-vous, cher Guillaume ? demanda-t-elle ? Etes-vous souffrant ? Je vous trouve, depuis quelque temps, mélancolique. Vous étiez revenu de vos voyages, ardent et jeune comme un conquistador. Et voici que cette chaleur s'attiédit. Que deviennent vos amours ?

— Mes amours languissent, dit-il. Comment en serait-il autrement ? Elles n'ont, pour se nourrir, qu'une maigre gerbe de souvenirs. Après six mois, tout a été dit sur le passé. Vous me répondrez qu'il nous reste le présent. Bien sûr, seulement nos présents sont distincts, différents, éloignés. Nous vivons surtout, l'un et l'autre, pour notre art. Dolorès me parle des pièces qu'elle répète, de l'*Electre*, d'O'Neill ; du *Partage de Midi*, qu'elle voudrait avoir l'autorisation de monter ; d'un autosacramental, *Le Fils Prodigue*, que je ne connais pas. Je lis d'un œil distrait et réponds en lui racontant le roman que je voudrais écrire. Cela ne doit guère l'intéresser la pauvre enfant, car elle n'y fait, dans ses réponses, aucune allusion. Elle ignore les gens que je vois ; j'ignore ceux dont elle s'entoure. Alors quoi ? L'avenir ? Longtemps je lui ai parlé avec espoir de nos rencontres futures : « Quand viendras-tu à Grenade ? A Séville ? lui disais-je. Quand retournerons-nous ensemble à Medellin ? » Ces rencontres, je les souhaite encore ; je n'y crois plus guère. Je vais vous dire, Edmée, une chose qui vous surprendra : si Pauline ne fût entrée dans ce circuit et ne lui eût rendu quelque force, le courant déjà aurait cessé de passer.

— Que c'est triste, Guillaume ! Cela semblait être un si grand amour.

— Un amour, fût-il grand, a besoin d'aliments.

— Et Pauline correspond avec elle ? Comme c'est bizarre ! Que peuvent-elles se dire ?

— Elles ne me le confient ni l'une ni l'autre. J'ai l'impression que tantôt elles s'insultent comme des déesses d'Homère, et tantôt se témoignent la plus vive amitié à mes dépens.

— Pourquoi *à vos dépens* ?

— Parce qu'il y a une solidarité féminine. Ne le savez-vous pas mieux que moi ?

— C'est plus complexe, dit Edmée, rêveuse. Il y a le plus souvent *rivalité* féminine, pour la possession d'un mâle souhaitable, mais dès que deux femmes ont admis, fût-ce de manière fugitive, l'idée qu'elles peuvent avoir à s'accommoder toutes deux d'un même homme, un harem se trouve formé et les femmes tentent d'oublier leur servitude en disant du mal du Sultan... Ici d'ailleurs Pauline ne cède ni ne partage son maître... Mais dites-moi, Guillaume, pourquoi ne défendez-vous pas mieux un amour qui, vous me l'avez souvent dit, vous avait donné un merveilleux bonheur ? Cette jeunesse retrouvée, cet « accroissement de vitalité » comme vous disiez, c'était une belle chose. Y renoncez-vous ?

— Je n'aurais pas besoin d'y renoncer si Pauline faisait un effort pour comprendre que j'ai besoin parfois de gaieté, de fantaisie, de tendresse, et si elle essayait elle-même de me les donner... Elle le pourrait, vous savez. Pauline est une femme très complète, aux ressources infinies, mais la voici figée, par point d'honneur, dans une attitude négative. Ah ! entre ces deux Castillanes, je suis... heu !... désemparé.

Edmée resta un instant silencieuse.

— A mon avis, dit-elle, la chose importante, c'est de savoir ce que *vous* voulez. Vous ne changerez ni Pauline ni votre Périchole, et vous ne pouvez les garder indéfiniment toutes les deux. Alors il faut *choisir*. Plus je vis, mon cher Guillaume, et plus je pense que toute la sagesse se résume en ce seul mot. Prenez mon cas. J'étais assez jolie...

— Vous étiez belle, très belle, et vous le restez.

— En tout cas, je l'étais assez pour plaire... Mille aventures se sont offertes. Croyez-vous qu'elles ne m'aient pas tentée ? Pourtant, mariée deux fois, j'ai été deux fois parfaitement fidèle... J'avais choisi.

— Ce dont j'aurais besoin, dit Fontane, c'est d'être un peu seul et de me recueillir.

9

La cure de solitude que fit, en Lorraine, Guillaume Fontane fut efficace. La maison léguée à Pauline par Boersch se trouvait au sommet d'une ondulation de terrain. De ses fenêtres, Fontane voyait la Moselle, bordée de saules, d'aulnes et de peupliers, et le potager de curé qu'avait créé Pauline. Le silence, prodigieux, n'était peuplé que du pépiement des oiseaux nichés dans le hêtre dont les branches se balançaient mollement près du balcon de pierre. Fontane travaillait le matin, jouissait de ces heures si calmes et, après le déjeuner, marchait le long de la rivière, dans l'étroit sentier de la prairie. Toute la vie animale et végétale qui grouillait autour de lui le rappelait à un sentiment d'humilité.

« Et pourtant, se disait-il, que les saules et les hirondelles vieillissent comme les hommes ne change rien à la douleur personnelle que me cause la vieillesse. »

Puis, se sentant alerte, souple et riche de vastes projets : « Est-ce de la vieillesse que je souffre ? Non, mais du mauvais usage que j'en fais... *Prière pour le bon usage de la vieillesse :* je vous loue, mon Dieu, et je vous bénirai tous les jours de ma vie de dénouer, l'un après l'autre, avec douceur, les liens de chair qui m'attachaient à des objets décevants... »

Il s'arrêta sur une grève blanche, au bord de laquelle la rivière frissonnait. La pureté de l'air le frappa et il respira longuement : « La vieillesse, pensa-t-il, n'est pas déchéance, mais délivrance. La vie devrait retourner sans effort à la nature d'où elle est sortie. Si la personne, lentement, s'efface, la communion avec le monde devient possible. » Il répéta plusieurs fois : « Acceptation joyeuse. »

Des vapeurs blanches et légères montaient de la vallée. Jamais ce pays chaste et viril ne lui avait paru si beau : « Non, se dit-il, on ne peut finir en petitesse... Et encore une fois, est-ce de la vieillesse que j'ai souffert ?... Mon seul mal fut, comme le disait Edmée, le refus de choisir... Refus tout illusoire ; en fait, j'avais choisi. Deux fois j'ai vu Pauline décliner ; deux fois je n'ai pu le supporter. Rien ne m'empêchait de la sacrifier. Je ne l'ai pas fait. Demain, dans les mêmes circonstances, j'agirais de même... J'en arrive à cette idée qui, il y a un an, m'eût paru plate : l'amour sensuel n'est presque rien dans l'amour. Ses plaisirs sont agréables et vifs. Ils ne suffisent pas à créer un lien durable. L'homme sain se montre cynique à leur sujet. Il a raison... Le véritable amour est le besoin de sublime... Voilà ce que j'ai cherché en Pauline et en Dolorès... Je l'ai cherché en Dolorès parce que Pauline m'avait déçu, après m'avoir longtemps comblé... »

Il s'arrêta pour regarder, à l'horizon, une tache rouge qui dansait. Qu'était-ce ? Feu de forêt ou reflet du soleil couchant sur un vitrage ? Il reprit sa marche : « Non, il n'est pas vrai que je sois allé à Dolorès par dépit. J'ai été à elle parce qu'elle le voulait et parce qu'elle était irrésistible. Par besoin d'admirer, j'ai cherché à lui imposer un personnage. Je l'ai imaginée constante et tout occupée de moi... Cela n'était pas et ne pouvait être... Dolorès ne fut pas coupable. Elle ne m'avait jamais promis de renoncer, pour moi, à sa liberté... Cependant je ne voyais pas que j'avais, tout près de moi, la grande âme que je cherchais. Car Pauline, avec tous ses défauts, possède cette fierté, cette pureté, cette fidélité totale que je demandais en vain à une âme changeante... »

De belles vaches, dans la prairie, avançaient vers lui pas à pas. « Cette fidélité que j'exigeais, et que je n'étais pas disposé à observer moi-même... La fidélité n'est pas naturelle à l'homme, disais-je. Mais rien de ce qui est beau n'est naturel. La grandeur de l'homme est d'être capable d'engagement, jusqu'au sacrifice, jusqu'à la mort... Ces vaches n'ont pas de pénibles devoirs, pas de tourments de conscience, mais ce sont des vaches... »

Quand il revint à la maison, le facteur était venu. Il y avait une lettre de Lolita ; il regarda quelque temps les belles majuscules, auxquelles il avait dû tant de battements de cœur, puis ouvrit l'enveloppe. Dolorès décrivait une fête à Lima, où elle avait triomphé dans la pièce nouvelle de Pedro-Maria Castillo :

« Je portais une robe blanche, sans épaules ; tu aurais été fou. En entrant en scène, pour m'encourager, je t'ai évoqué. Ça te plaît, *no ?*... Que tu ne m'aies jamais vue au théâtre me chagrine. Sais-tu ce que je voudrais plus que tout ? Jouer à Paris, d'abord en espagnol, pour me faire connaître, puis en français. Si tu pouvais arranger cela, je viendrais tout de suite... »

Il relut plusieurs fois, cherchant à comprendre pourquoi elle disait encore de telles choses. Pensait-elle vraiment à lui, hors des moments où elle lui écrivait ? Le soir, seul dans sa chambre, il répondit :

GUILLAUME FONTANE A DOLORÈS GARCIA

Je suis triste de n'avoir pas été l'un des spectateurs de ton triomphe, *querida*, mais ce fut sans doute mieux ainsi. Tu as dû être, ce soir-là, entourée, louée, courtisée. J'aurais joui de mon admiration et souffert de tes admirateurs. Et puis te voici devenue l'amie de ma femme. Vous échangez des lettres mystérieuses. Cela crée, entre nous, une atmosphère étrange et un peu trouble. J'accepte le destin, non sans regrets...

Je t'aurai dû les plus beaux jours de mes dernières années. Retrouverai-je jamais cette impression de flambée superbe ? Je ne le crois pas. Tu avais, tu as bien du charme, Lolita, et tu ne serais pas facile à remplacer. Je ne le tenterai pas. Je garderai ce souvenir, qui parfumera une vie heureuse mais un peu grise, comme une brassée de fleurs fraîches, rapportée des champs, éclaire un cabinet de travail. Voici ce que je pense ce soir, tandis que la lune se lève derrière les peupliers et que le hibou sort de sa tour. Qu'arriverait-il et que deviendraient ces sages pensées si, demain, tu venais à Paris ? Je crois que ton arrivée créerait une situation difficile, parfois douloureuse, souvent délicieuse. *Ne nos inducas in tentationem...* Je vais passer ici trois mois. Je rêve au bois d'oliviers, aux cloches de Bogota, à l'avion de Cali. Qu'il faut peu de chose à un vieux cœur pour subsister...

Cette lettre donne une idée assez exacte de ce qu'était alors l'état d'esprit de Fontane. Il ressemblait à un dormeur qui vient de s'éveiller, voit clairement les objets réels qui l'entourent, mais s'étonne des lambeaux de rêve qui flottent encore dans sa pensée et se dissipent lentement, comme des brumes matinales.

Pendant tout cet été, qui fut pour lui laborieux et paisible, sa résolution de rebâtir son ménage se fortifia. Souvent, en regardant de sa fenêtre l'eau morte du canal et la rivière étincelante, il méditait sur la douceur du romanesque et en venait à penser qu'il faut le chercher dans l'approfondissement d'un amour, plutôt qu'en des passades éphémères.

« Ce qui n'est pas connu peut seul éveiller l'appétit de savoir ? Sans doute... Mais ne reste-il pas de l'inconnu en tout être ?... »

Il en avait la preuve chaque jour. Pauline était venue le rejoindre et il avait plus de peine que jamais à comprendre son attitude. Elle ne parlait presque plus de Dolorès et s'entretenait, intelligemment, avec Guillaume, du livre auquel il travaillait. Il se plaignait qu'elle demeurât distante.

— Que voulez-vous ? disait-elle. La confiance, une fois perdue, n'est pas facile à rétablir. Je vous reste absolument dévouée... Je ne puis oublier que vous avez fait une chose dont je vous croyais incapable. Entre vous et moi, il y aura toujours ce visage, ce corps...

— Pourtant si l'effet de cette erreur a été de m'attacher plus étroitement à vous, si elle m'a fait comprendre et sentir que vous êtes, pour moi, irremplaçable ?

— Moi, Guillaume, je n'avais pas besoin d'une aventure équatoriale pour le savoir et le sentir.

Il pensait qu'elle était injuste et ancrée dans son ressentiment, alors qu'il faisait un si grand effort pour se rapprocher d'elle, mais il se montrait patient. Quand approcha l'anniversaire du jour où il avait rencontré Dolorès, Pauline redevint nerveuse. Elle avait le fétichisme inné des dates. Une lettre de Lolita apprit à Guillaume qu'elle allait reprendre *Tessa* : « Que je sois la *Nymphe au Cœur Fidèle*, ça te plaît, *no ?* » Le lendemain, il répondit par une lettre qu'il souhaitait être d'adieux.

Oui, sans doute, il me plaît que ma nymphe, à sa manière, soit constante.. Je n'oublie pas, moi non plus, les heures d'enchantement. Voilà bientôt un an, Lolita, que nous nous rencontrâmes. Le jour anniversaire venu, entre, si tu es à Lima, dans la petite église baroque de la Magdalena et pense à moi un instant. On ne donne pas sa vie à un éternel absent ; on peut lui donner une minute — et une prière. Tout cela fut-il vrai ? Il y a des moments, dans cette calme campagne, où j'hésite à le croire. Puis les souvenirs remontent des profondeurs : ton premier regard, qui déjà m'avait ensorcelé ; ta longue main soulevant tes boucles ; ton visage transfiguré par la ferveur ou la pénitence. Ces images restent en moi si pures que, de ce rêve ineffaçable, je n'ai ni remords ni repentir. C'est comme un très beau livre que j'aurais lu et qui raconterait, par une miraculeuse divination de l'auteur, une vie que j'aurais voulu vivre. Qui sait ? Peut-être vaut-il mieux que, sortie un soir, dans une cité mystérieuse, d'un monde irréel et magique, tu y sois rentrée sans avoir rien perdu de ta grâce surnaturelle. Tu resteras pour moi celle qui ne vieillit ni ne change. Et quant à moi, hélas, combien j'ai intérêt à ne plus exister pour toi que dans le monde du souvenir, le seul où mes derniers jours de jeunesse puissent être sauvés de la nuit toute proche. Adieu, Lolita. Travaille. Ton talent te dicte ton plus grand devoir. Adieu.

Le soir, il dit à Pauline :

— J'ai écrit aujourd'hui ma dernière lettre à Dolorès.

— La dernière ?

— Oui, j'espère. Cette page est tournée. Sur la suivante, qui est encore blanche, je veux que vous soyez seule à écrire.

— Ignorez-vous, Guillaume, que Dolorès va venir à Paris en novembre ?

Il fut bouleversé par cette nouvelle :

— Quoi ?... Elle m'en avait vaguement parlé, mais ne m'avait jamais dit que cela fût certain, et moins encore imminent... En êtes-vous sûre ?

— Tout à fait. Nous avons organisé cela ensemble, elle et moi. Elle fera, au mois d'octobre, une tournée en Espagne et donnera ensuite quelques représentations à Paris avec sa troupe, qui s'appelle la *Compagnie des Andes*. J'ai moi-même négocié, pour eux, avec la Comédie des Champs-Elysées.

— Vous ? Quelle démence, Pauline ! Pourquoi ?

— Par curiosité et peut-être aussi, Guillaume, pour *vous* éprouver.

— Dolorès ne peut jouer qu'en espagnol. Il n'y aura personne.

— Mais si, dit Pauline. Il suffira de créer un snobisme. Nous le ferons. Et ainsi, au moins, vous la verrez en scène, votre comédienne.

Guillaume était devenu très sombre. Après un long silence, il dit :

— Si vraiment Dolorès vient à Paris, je m'arrangerai pour ne pas y être.

Pauline, silencieuse, les yeux baissés, ne répondit pas.

10

Jusqu'aux jours qui précédèrent immédiatement l'arrivée à Paris de Dolorès Garcia, Pauline
Fontane n'avait pas cru que son mari aurait le
courage de s'éloigner. Elle s'était fait promettre
par Dolorès que, si celle-ci revoyait Guillaume,
elle n'essaierait pas de le reconquérir. Dolorès
avait pris cet engagement, que rendit inutile la
ferme attitude de Fontane. Dès qu'il apprit, par
sa femme, que Lolita débarquerait à Santander
au début de novembre, il accepta, pour ce même
mois, de faire en Suisse tout un cycle de conférences. C'était sa manière de s'attacher au mât
et de résister au chant des sirènes. Lorsque Dolorès et sa *Compagnie des Andes* arrivèrent à
Paris, il était à Zürich.

D'Espagne, où elle jouait depuis quinze jours,
Dolorès avait écrit à Pauline de nombreuses lettres, tantôt enthousiastes, tantôt plaintives. Elle
avait été heureuse de visiter un pays auquel son
cœur devait tout. Grenade, Séville, Tolède
l'avaient comblée. Elle s'avouait désappointée par
l'accueil fait à la troupe. La critique espagnole
avait traité avec une indulgence dédaigneuse
cette « compagnie provinciale, à l'accent de ter-
roir ». Quelques rares connaisseurs louaient le
jeu de Dolorès Garcia. Un grand écrivain, Ramon

de Martina avait suivi les représentations de ville en ville, avec une assiduité passionnée. Dolorès envoyait une photographie d'elle, assise aux pieds de ce vieux poète qui la regardait avec tendresse. Cependant le succès temporel avait été médiocre et l'actrice meurtrie, découragée, ne mettait plus d'espoir qu'en la France : « Si Paris nous aime, tout le reste n'aura pas eu d'importance », écrivait-elle à Mme Fontane. Elle annonçait qu'elle serait le 5 à l'Hôtel Montalembert et que les représentations commenceraient le 9.

Les deux femmes devaient se rencontrer à l'hôtel, vers six heures. Pauline, assez émue, choisit avec soin la robe et le chapeau qui, selon Guillaume, lui allaient le mieux. En arrivant, elle demanda au concierge :

— Mme Dolorès Garcia ?

Il prit le téléphone intérieur et annonça :

— Le 218 ? Mme Fontane est en bas.

Puis, se retournant vers celle-ci :

— Mme Garcia va venir tout de suite, dit-il.

Pauline s'assit dans un des fauteuils du hall, en face de l'ascenseur, et guetta le visage que tant de photographies lui avaient rendu si familier. Bientôt l'ascenseur parut et Mme Fontane esquissa un mouvement, mais un gros homme aux cheveux blonds sortit seul. A ce moment Pauline, levant les yeux et comme attirée par une présence, vit sur l'escalier une jeune femme très belle, à la taille étroite qui, un long fume-cigarette au coin des lèvres, s'était arrêtée sur une marche et la regardait. Elle reconnut Dolorès. Celle-ci descendit très lentement, les yeux fixés sur Pauline.

« Quel art de la mise en scène ! » pensa Mme Fontane. Quand Dolorès fut tout près, Pauline remarqua les cheveux blonds roux, les yeux vert de mer et la perfection de l'attitude, mélange de réserve et de gravité affectueuse. Elle se leva.

— C'est vous ! murmura Dolorès à voix basse, avec une émotion contenue.

« Quelle justesse de ton » se dit encore Pauline, malgré elle. « Sans aucune emphase, elle a marqué l'importance de cette rencontre. Jamais Rachel jouant Racine... » Soudain elle mesura le sacrifice de Guillaume.

— Je vous aurais reconnue entre mille, dit Dolorès. Vous êtes telle que je vous attendais, exactement : belle et pure.

— Vous aussi, dit Pauline, vous êtes celle que j'attendais : belle et dangereuse...

Dolorès s'assit et sourit avec abandon et franchise :

— Dangereuse ? Plus pour vous. Je tiendrai mes promesses. Vous me croyez, *no* ?

— Je vous crois d'autant plus que ce sera facile, dit Pauline, modestement triomphante. Mon mari a quitté Paris. Il n'y sera pas pendant votre séjour. Mais nous parlerons de lui plus tard... Aujourd'hui, je voulais seulement me mettre à votre disposition pour vous faire visiter la ville, vous assister dans vos courses, vous faire connaître des gens utiles... Souhaitez-vous que j'arrange un déjeuner pour vous ? Tout va-t-il bien au théâtre ?

Le concierge s'approcha :

— On demande Mme Garcia au téléphone.

Pauline, en l'attendant, se dit : « Guillaume

n'avait pas menti ; elle a un charme irrésistible. Y serais-je déjà prise ? » Dolorès reparut.

— Excusez-moi, dit-elle. C'était le secrétaire général du théâtre. Il veut absolument que je dîne avec lui ce soir... Il est gentil et nous aide beaucoup.

— C'est le petit Nerciat? dit Pauline. Oui, il est très gentil... Quand débutez-vous ?

— Jeudi soir, avec *Noces de Sang*. Nous répéterons, sur le plateau, mercredi. Jusque-là, je suis libre. Voulez-vous un porto ? Un cocktail ? *No ?*... Moi, si vous permettez, je demanderai un Martini.

Elle appela un barman qui passait, fit sa commande, puis dit sur un ton où se mêlaient tendresse et timidité :

— Vous êtes gentille pour moi, et très grande dame... Oui, je serai heureuse de déjeuner chez vous et de visiter Paris avec vous, Pauline... Vous permettez que je vous appelle *Pauline ?*... « Madame » me gêne ; je vous connais si bien. Et vous me ferez plaisir en m'appelant *Dolorès*. Cela prouvera que vous m'avez un peu pardonné. Je ne voulais vous faire aucun mal, vous le savez, *no ?*

Sa voix devenait implorante, caressante. Pauline dit qu'un hall d'hôtel n'était pas un lieu propice à de telles explications et qu'elles reprendraient cette conversation plus tard. Pour l'instant, il fallait seulement fixer un rendez-vous pour le lendemain.

— Que voulez-vous visiter ?... Notre-Dame ? Saint-Séverin ? Le Louvre ?

— Oui, bien sûr, tout cela, et aussi la rue de la

223

Paix et le tombeau de Napoléon... Mais surtout je désire aller au théâtre...

— Voulez-vous que je vous emmène après-demain soir à la Comédie-Française ? On joue *Le Chandelier*.

— Ah ! dit Lolita, comme si le bonheur lui donnait un coup au cœur. Tout ce dont je rêve depuis des années...

Elle vida d'un trait son Martini, alluma une autre cigarette et ajouta :

— J'ai ici, à l'hôtel, avec moi, deux amies, deux camarades : Conchita et Corinna... Est-ce qu'il serait possible de les emmener ? Elles seraient si heureuses.

— Très facile, dit Pauline avec autorité. Je n'ai qu'à demander une loge à l'Administrateur.

Elle trouvait un certain plaisir à montrer qu'elle était à Paris, puissante. Les deux femmes parlèrent quelque temps encore et complétèrent leurs plans pour le lendemain. Dolorès fut appelée, une fois encore, au téléphone et revint en disant :

— C'est notre ambassadeur... Il me demande de venir dîner ce soir, à la fortune du pot.

— Comme vous parlez bien le français !

— C'est Sœur Agnès... Je lui dois beaucoup.

Pauline se leva.

— Il n'y a rien, demanda-t-elle, que je puisse faire pour vous d'ici à demain ?

— Non... Ah ! si... Je voulais vous demander l'adresse de votre confesseur et celle de votre coiffeur.

Pauline ne put s'empêcher de sourire. En sortant, elle pensait : « Qu'elle est pittoresque et séduisante! Guillaume a montré du courage en renonçant à la voir. »

Elle s'étonna d'avoir si peu souffert pendant cette conversation.

« Comme tout est facile dès que l'on ose », se dit-elle.

11

Le lendemain, après le déjeuner, Pauline vint en voiture à l'hôtel Montalembert et se fit annoncer. Quelques minutes plus tard, trois jolies filles descendirent, dans un gazouillement animé de voix espagnoles, et Dolorès présenta ses deux amies : Conchita était une brune andalouse, aux cheveux fortement ondulés ; Corinna, plus petite, avait les yeux immenses et les pieds minuscules des Péruviennes. Toutes deux parlaient français, mais moins bien que Dolorès.

Pauline Fontane garda de cette journée un souvenir ensoleillé. L'admiration des trois jeunes femmes devant Paris, leurs cris d'oiseaux, leurs pépiements inintelligibles et rapides, tout lui parut exotique et gracieux. Le temps était beau ; les monuments se détachaient avec netteté sur un ciel pur. Pauline se sentait fière de sa ville, et heureuse d'en faire les honneurs à ces étrangères enthousiastes. Notre-Dame les bouleversa. Dolorès parla de Quasimodo, de la Esmeralda.

Puis entrée dans l'église, elle se jeta à genoux sur la pierre et pria quelque temps, en se frappant la poitrine.

— Je voudrais aussi prier dans les chapelles, dit-elle gravement.

Devant chaque autel, elle s'agenouillait, restait quelque temps la tête dans ses mains, puis se relevait avec un air d'extase. Sur une châsse qui contenait des reliques, elle voulut à toute force poser ses clefs :

— Il *faut*, dit-elle à Pauline... Faites-le aussi.

— Mais pourquoi ?

— Pour que vos clefs n'ouvrent plus que sur le bonheur.

En sortant de la cathédrale, elle avisa un joli enfant que promenait sa mère et, soudain, le prit dans ses bras :

— Quel amour ! dit-elle. Je ne peux pas voir un *niño* sans l'embrasser.

Elle le passa à Conchita et à Corinna, qui l'embrassèrent à leur tour. L'enfant semblait fasciné ; la mère, terrifiée.

Dans la voiture, Dolorès se mit à fredonner, d'une voix de gorge, un chant *flamenco*. Puis ses amies l'accompagnèrent. Dolorès avait passé son bras sous celui de Pauline, qui se sentait enveloppée peu à peu dans une atmosphère de jeunesse, d'insouciance où sa réserve fondait. Rue Bonaparte et rue des Saints-Pères, Dolorès voulut marcher, entrer dans les librairies, acheter des livres sur le théâtre, sur le ballet, sur la peinture moderne.

— Mais, ma pauvre enfant, disait Pauline, vous en aurez toute une caisse !

— Les cales des bateaux sont grandes, dit Dolorès.

Aux Invalides, elle se jeta violemment à genoux devant la balustrade qui entoure le tombeau de Napoléon. On l'entendit murmurer des oraisons.

— J'ai prié pour le repos de son âme, expliqua-t-elle en se relevant. Il est mon héros.

Conchita, qui se souvenait vaguement de Joseph Bonaparte, fit, en espagnol des objections. Toutes trois se lancèrent dans une ardente discussion sur l'Empereur. Les voûtes des Invalides renvoyaient l'écho des pépiements. Vers cinq heures, comme la nuit tombait, Mme Fontane proposa de les emmener prendre le thé dans une pâtisserie. Elles insistèrent pour que Pauline acceptât de rentrer avec elles, à leur hôtel.

— Nous commanderons du thé pour vous, dit Dolorès, et nous prendrons les cocktails.

Elles firent monter Pauline dans leurs chambres. Sur une table se dressait un énorme cierge.

— Nous l'avons apporté du Pérou, expliqua Corinna. Il est béni. C'est pour les orages et les tempêtes. Dès qu'il y a du tonnerre, vous l'allumez, vous récitez une dizaine de chapelet, et alors vous êtes protégée contre la foudre.

Pauline eut peine à les quitter. Il y avait bien des années qu'elle n'avait passé une journée aussi divertissante.

Le lendemain, à midi trente, elle envoya la voiture chercher Dolorès. Pauline avait improvisé un déjeuner, rue de la Ferme. Elle attendait un grand acteur : Léon Laurent, la romancière Jenny, les Bertrand Schmitt, les Christian Ménétrier, le jeune Hervé Marcenat qui venait de faire ses débuts dans la critique dramatique, et Claude Nerciat, secrétaire général de la Comédie des Champs-Elysées. Dolorès, qui n'avait aucune idée des heures et d'ailleurs trouvait barbare que l'on déjeunât si tôt, fut en retard. Tous les autres, auxquels Pauline avait dit que le repas était donné en l'honneur d'une actrice péruvienne, l'attendaient avec curiosité. Bien que de telles rumeurs, à Paris, soient aussi vite oubliées que répandues, ils se souvenaient, les femmes avec précision, les hommes plus confusément, de quelque drame dans le ménage Fontane, au sujet d'une comédienne.

— Est-ce la même ? demanda Isabelle Schmitt à Claire Ménétrier. Cela paraît invraisemblable. Guillaume est absent de Paris et Pauline, telle que nous la connaissons, n'aurait jamais invité une maîtresse de son mari.

— On ne sait pas, dit Claire. Pauline est très subtile... Comment s'appelle la dame ?... Dolorès Garcia ? Il me semble bien que c'était ce nom-là.

— Et Guillaume ?

— Il se gare, dit Claire, et laisse ces Amazones se battre.

— Mais c'est qu'elles n'ont pas l'air de se battre !

Dolorès eut son succès accoutumé. On la trouva belle ; on s'étonna de l'excellence de son français ; on fut charmé de sa bonne grâce. Elle dit à chacun des hommes ce qui pouvait le rendre heureux : à Léon Laurent, qu'elle l'avait applaudi à Buenos-Ayres; à Bertrand Schmitt, qu'elle avait

228

lu ses romans et les aimait ; à Ménétrier, que son plus vif désir était de jouer *Viviane*.

— Elle a tout à fait le physique du rôle, dit Laurent qui l'étudiait avec attention.

Pendant le déjeuner, la conversation fut facile. Léon Laurent, de sa voix saccadée, parla du métier d'acteur et affirma qu'il était vain de s'y hasarder si l'on n'avait la vocation, c'est-à-dire le besoin et la faculté d'entrer dans la peau d'un personnage.

— Ce qui me frappe toujours, dit Ménétrier, c'est la rapidité de ces changements d'âme. Je bavarde, dans les coulisses, avec une actrice ; elle est tout occupée de son loyer, d'un conflit de théâtre, d'un manteau de fourrure ; elle entre en scène et la voici en larmes. C'est plus saisissant encore dans un studio de cinéma ; un acteur recommence dix fois le même bout de scène, et, dix fois de suite, il retrouve l'intonation juste.

— Ce n'est pas plus surprenant, dit Léon Laurent, que la cantatrice qui retrouve, au moment voulu, la note juste. Une intonation adoptée, enregistrée, devient une note dans une gamme de sentiments. Elle ne changera plus.

— Et croyez-vous, demanda Pauline, qu'un grand acteur puisse entrer dans la peau de tout personnage ?

— Dans des limites raisonnables, oui... A la vérité, il y a deux sortes de comédiens : ceux qui peuvent jouer n'importe quoi, ce sont les plus grands, et ceux qui ne peuvent jouer que leur propre rôle. Ceux-là ont du charme, si leur personnalité est charmante, mais ce ne sont pas vraiment des acteurs... Ainsi vous, dit-il à Dolorès, on me dit que vous êtes également bonne dans le *Carrosse du Saint-Sacrement* et dans la *Dame aux Camélias*. Si c'est exact, vous êtes une comédienne.

— Mais est-ce qu'une femme n'a pas le droit, demanda Lolita avec un sourire déférent, de combiner elle-même, dans la vie, la Périchole et Marguerite Gautier ?... La coquette peut être capable de passion... Ce n'est pas avec le même homme, voilà tout. *No ?*

— Elle a de l'esprit, murmura Bertrand Schmitt à Pauline.

— Beaucoup, dit Pauline, avec la fierté heureuse d'un professeur qui exhibe un sujet d'élite.

Puis Bertrand expliqua que, de la même manière, il y a deux types de romanciers : ceux qui ne parlent que d'eux-mêmes et ceux qui peuvent peindre toutes sortes d'êtres humains.

— Et je ne dis pas du tout que les premiers soient des romanciers médiocres. Stendhal appartenait à cette classe ; il peignait l'homme qu'il était ; l'homme qu'il aurait voulu être ; l'homme qu'il aurait été si le sort l'eût fait naître fils d'un banquier ; la femme qu'il eût été s'il avait été femme, et aussi la femme dont il aurait voulu être aimé. Balzac, au contraire, représente la race des romanciers démiurges. Comme vous le disiez, Laurent, il « entre dans la peau » d'un usurier, d'une vieille fille, d'une portière, d'un conspirateur, d'un juge...

— Balzac se sert aussi de lui-même, objecta Christian... Voir *Louis Lambert*, la *Duchesse de Langeais*, le *Lys dans la Vallée* et, de manière indirecte, le baron Hulot...

230

— Bien sûr, dit Bertrand, pourquoi s'exilerait-il, lui seul, de la *Comédie Humaine*? Balzac s'observe comme il observe les autres, mais pas plus...

Le jeune Hervé Marcenat intervint et parla du « point de départ réel », qui est nécessaire pour le romancier et pour le comédien :

— Un sujet ou un personnage construit délibérément, en partant d'une idée abstraite, est toujours manqué, ne croyez-vous pas ? Rien ne peut remplacer l'inimitable folie de la nature... Mon seul grief contre vos admirables drames, monsieur Ménétrier, serait la place, un peu trop grande chez vous, de l'intelligence.

— Mais je ne suis pas du tout intelligent, dit Christian vexé. C'est une réputation que m'ont faite mes ennemis.

— Comme à moi, dit Léon Laurent d'un air fâché. Les critiques hostiles me jettent à la tête que je suis un acteur « intellectuel ». Ce n'est pas vrai. Je ne construis jamais un personnage sur un raisonnement. Je me laisse pénétrer par lui... Quelques-uns des meilleurs comédiens que j'ai connus ne comprenaient, à la lettre, rien à ce qu'ils jouaient.

— Et le public, ne s'en apercevait pas ?

— Le public, dit Jenny, ne s'aperçoit de rien... Le public, au théâtre, vit dans un rêve et, tant que ce rêve n'est pas interrompu par un accident brutal, les spectateurs acceptent tout.

— Mais oui, dit Léon Laurent. Il n'y a pas de limite à l'illusion théâtrale.

— Et c'est pourquoi, dit Bertrand Schmitt, il est absurde d'accorder une telle place au décor et à la mise en scène. C'est la rage de notre temps et un total contresens... N'est-ce pas votre avis ? demanda-t-il à Dolorès.

— Oh ! moi, dit-elle, je suis à Paris pour apprendre et non pour enseigner.

— Je la conduis ce soir au *Chandelier*, dit Pauline. Là elle verra un excès de mise en scène.

Après le déjeuner, Dolorès eut une conversation avec Léon Laurent qui promit d'aller l'applaudir ; une autre avec Hervé Marcenat, à qui elle donna tous les éléments d'un article que Pauline avait demandé à celui-ci d'écrire sur la *Compagnie des Andes* ; puis elle entreprit Ménétrier au sujet de *Viviane* et le dialogue devint si animé que Claire, inquiète, se rapprochant d'eux, dit soudain avec force :

— Je suis désolée, Christian, de vous interrompre, mais nous avons un rendez-vous à trois heures et la rue de la Ferme est fort loin de la rue du Bac.

Comme il arrive toujours, le départ d'un seul couple brisa le cercle enchanté et tous partirent, en exprimant le désir de revoir Dolorès Garcia. Plusieurs hommes offrirent de la ramener, mais Pauline la retint et les deux femmes restèrent seules.

— Et maintenant, dit Dolorès, il faut que nous parlions.

D'un geste gracieux et ferme, elle jeta sa cigarette dans la cheminée.

— Ne restons pas dans ce salon, dit Pauline. Venez chez moi.

Dolorès la suivit.

12

Dans le bureau de Pauline Fontane, Dolorès regarda curieusement les piles de papiers, les rayons surchargés de livres, et surtout les photographics qui couvraient les murs. Elle reconnut Guillaume et Pauline en Egypte, à Rome, puis, beaucoup plus jeunes, à Tolède ; plus jeunes encore, en costume de bain, sur une plage.

— Oui, dit Pauline d'un ton dramatique, oui, regardez bien... Voici vingt-cinq années d'un bonheur que vous avez détruit.

— L'ai-je brisé ? dit Dolorès avec douceur. Vous avez gagné, puisque Guillaume est parti pour ne pas me voir.

— Le fait même qu'il se soit enfui prouve qu'il n'est pas guéri... Et si même il l'était, ce ne sera plus jamais la même chose. Toujours il y aura, entre lui et moi, votre visage, votre corps... Oui, je les regarde, ce trop charmant visage, ce corps souple, et je pense que *mon* mari... C'est affreux !

Ses lèvres tremblaient. Dolorès eut un mouvement de perversité :

— Si je pouvais croire, dit-elle, que je serais toujours entre vous et lui, je serais fière... Mais non, cela, c'est la malédiction gitane... Ce n'est qu'un côté de moi, le plus mauvais... Je ne vous veux pas de mal, Pauline ; je ne vous en ai jamais voulu. Comment pouvais-je deviner que votre mari et vous formiez un couple pour lequel l'amour comptait encore plus que tout ? Je ne vous avais jamais vue ; je vous imaginais beaucoup plus âgée... Guillaume parlait de vous avec respect, avec affection, mais il était, avec moi, très entreprenant.

— Petresco me dit que c'est vous...

— Qu'en sait-il, celui-là ?... Je confesse que j'ai souhaité conquérir Fontane. J'aimais ce qu'il disait ; j'aimais sa gentillesse, sa simplicité, ses enfantillages ; je voyais en lui l'homme qui m'arracherait peut-être à une vie provinciale... Oui, tout cela est vrai. Mais si j'avais senti une forte résistance, j'aurais mis cette amitié sur un plan tout différent.

Pauline, d'un mouvement violent, se pencha vers Dolorès :

— Vous parlez de manière raisonnable et froide ! Ne voyez-vous pas que, pour moi, il était le seul être au monde qui comptait, l'homme auquel j'avais tout sacrifié ? Et vous arrivez, vous qui avez tout : la jeunesse, la beauté, le génie, et vous me prenez, sans amour, ce qui était pour moi plus précieux que la vie... Vous vous dites pieuse, Dolorès ; j'ai vu que vous vous prosterniez sur le carreau des églises, et vous avez après ce vol, après ce crime, la conscience tranquille ? Si vous croyez que Dieu vous absout...

Dolorès s'agenouilla près de Pauline. Elle avait les yeux pleins de larmes :

— Mais ce n'est pas ainsi ! cria-t-elle. Je vous répète que je ne savais rien de vous. Vous dites : *sans amour*... Ce n'est pas vrai. J'ai aimé Guil-

234

laume pendant ces vingt jours. Vous savez, mieux que personne, qu'on peut l'aimer.

Pauline haussa les épaules :

— Il venait à peine de s'envoler que vous le trompiez, sans doute, avec Castillo, tout en continuant à lui écrire des lettres brûlantes.

Dolorès ferma les yeux avec douleur :

— Ce n'est pas comme ça... Ce n'est pas comme ça... Vous ne comprenez rien... La vie est facile pour vous, Pauline ; elle ne l'est pas pour une pauvre fille qui, depuis l'enfance, a dû lutter... Oui, j'ai besoin des hommes ; oui, je suis forcée de les subir tels qu'ils sont... Tout cela n'empêche pas que, pendant vingt jours, j'avais aimé Fontane... Vous direz : ce n'est qu'un rôle de plus... Peut-être, mais je l'ai joué avec émotion, avec vérité... Je suis très sensuelle ; Guillaume l'est aussi...

— Ah ! taisez-vous ! dit Pauline en sanglotant.

A ce moment Dolorès qui, elle aussi, pleurait, la prit dans ses bras. Un temps assez long se passa, puis toutes deux s'apaisèrent et Dolorès posa sa tête blonde sur les genoux de Pauline, avec abandon et tendresse :

— Il faut comprendre, murmura-t-elle. Vous avez choisi une manière de vivre, respectable, conventionnelle ; vous vous êtes consacrée à un seul homme ; peut-être y avez-vous trouvé le bonheur, je ne sais pas... Mais il y a une autre vie, aventureuse, libre, passionnée; c'est celle que j'ai choisie. Elle donne des instants de bonheur merveilleux ; elle donne aussi d'affreux désespoirs... Est-elle moins... *como se dice ?*... moins noble ? Je ne le crois pas. Vous avez opté pour la sécurité ; moi, j'ai accepté le risque. Dix fois dans ma vie, j'ai tout quitté pour l'inconnu... Au théâtre, après avoir réussi dans des personnages tragiques, soudain j''ai sollicité un rôle de comédie réaliste... Dans mes amours, j'ai abandonné un jour le protecteur puissant qui m'assurait l'avenir, pour un acteur pauvre et sans gloire, que j'ai épousé... Je vous jure... Les hommes aiment ces imprudences. Ils s'attachent à la femme qui a toutes les audaces. Est-ce ma faute ?

— Ne croyez pas, dit Pauline, que je n'aie jamais accepté de risques... J'ai été la maîtresse de Guillaume avant d'être sa femme, en un temps où il ne voulait pas se marier.

— Vraiment ? Oh ! je suis surprise... Je vous imaginais tellement bourgeoise.

Elle leva les yeux vers Pauline, avec une expression exaltée :

— Je vous aime, Pauline; vous me croyez, *no ?*... Je vous aime et je vous admire. Vous êtes belle, *querida ;* si, vous êtes belle : le plus lumineux front du monde et des yeux qui parlent... Vous êtes très brillante, vous savez tout. Hier soir, avec mes amies, après la promenade dans Paris, nous disions : « Cette femme est formidable ! » Vous avez des grands sentiments et, en cela, je vous trouve supérieure à Guillaume... Si, laissez-moi parler. Guillaume dit de jolies choses sur l'amour, mais il est surtout sensuel. Le corps qui est près de lui à ce moment lui inspire les jolies choses. Il ne connaît pas la passion... *como se dice ?*... exclusive. Mais vous, *querida...*

— Vous avez vu Guillaume tard dans sa vie,

dit Pauline. Moi, je l'ai connu passionné. Nous avons été parfaitement unis et heureux pendant vingt-cinq ans. Et puis ont pris possession de lui ces démons du soir, auxquels je ne croyais pas mais qui, je le vois, hélas, tourmentent trop réellement les hommes... Alors je l'ai perdu.

Lolita se souleva :

— Vous ne l'avez *pas* perdu et vous le savez bien. Seulement, si vous voulez le garder, il faut que vous soyez un peu plus adroite... Ne dites pas non. Il n'est pas honteux de défendre son amour... Vous restez pour Guillaume une parfaite compagne de travail, mais il y a tout un aspect de lui que vous négligez... Moi, je sais... Les femmes intellectuelles jouent perdantes au jeu de l'amour. Les hommes se lassent des femmes qui leur fatiguent le cerveau. Ils parlent avec elles, oui... Quand passe une jolie fille, bien charnelle, ils la suivent... Mais si, Pauline... *El hombre, en las mujeres, busca un poco de fiesta...* L'homme, dans les femmes, cherche un peu de fête... *como se dice ?...* de divertissement... Moi, je faisais rire Guillaume pendant des heures.

— Ne forçons point notre talent, dit Pauline. Je serais ridicule si j'essayais de faire l'enfant. Ou il peut m'aimer telle que je suis, ou tout est fini.

— Bien sûr, *querida*... Seulement ne voyez-vous pas que ceci est vrai des deux côtés ? Vous devez l'aimer tel qu'il est et, moi, je vous dis : Guillaume est un sensuel et il aime la gaieté, la poésie. Vous avez de la poésie, Pauline, je suis sûre, mais vous la tenez... *como se dice ?...* sous le boisseau. On dit ça, *no ?*

Pauline caressait, inconsciemment, les cheveux bouclés qui de nouveau s'étaient posés sur ses genoux.

— Une autre chose, continua Lolita. Vous pouvez être dure, Pauline, très dure. J'ai vu... Surtout dans vos lettres... Il ne faut pas. Pourquoi être sévère ? De quel droit ? On ne sait pas ce qui se passe dans les âmes... Nous avons tous nos fautes. Pourquoi n'êtes-vous pas plus religieuse ? Vous vous êtes étonnée de me trouver pieuse parce que je ne suis pas chaste... Pourtant je suis chrétienne, plus que vous. J'essaie d'avoir la charité... Si... C'est vrai. J'ai essayé avec vous. Essayez avec Guillaume. Il est un artiste. A la femme, qui est *sa* femme, il demande la chaleur du cœur... Les artistes sont des égoïstes. Il faut qu'ils le soient pour protéger leur œuvre. Si nous voulons les garder, nous devons être modestes, leur laisser toute la place. Pour cette raison la comédienne, qui séduit les plus grands, les perd vite. Parce qu'elle aussi est une artiste et veut être un centre d'adoration... Je dis cela très mal, *no ?*

Pauline demeura un instant songeuse :

— Vous dites cela, au contraire, très bien... Oui, il est possible que je sois devenue, avec Guillaume, en vieillissant, brusque, impatiente, autoritaire... Il est possible que je n'aie pas été assez tendre. Mais s'il en a souffert, que n'a-t-il parlé ?

— Ils ne parlent jamais, dit Lolita en se relevant et en arrangeant, debout devant la glace, ses cheveux... Ils ne parlent jamais ; ils boudent et vont chercher ailleurs leur ration de bonheur...

Voilà, c'est à nous de sentir, et aussi de lutter. Vous avez tort, Pauline, de laisser blanchir vos cheveux et de vous habiller si sombre... Vous pourriez gagner dix ans.

— Mais Guillaume aime le noir et même, puisque nous sommes dans un jour de confidences, il m'a dit vous avoir reproché, à Lima, une robe d'un rouge agressif.

— Je ne me rappelle pas. C'est possible. Cependant, quand il se souvient de moi, il pense à des couleurs gaies, je suis sûre... à un maillot de marin, à des cheveux bouclés et fous. Vos ondulations grises sont trop parfaites, *querida*, trop régulières...

Elle passa les mains à son tour dans les cheveux de Pauline, les ébouriffa légèrement, puis sourit avec amitié :

— Je dois aller au théâtre, dit-elle, on m'attend... Mais je suis contente d'avoir parlé avec vous... Je pense que je vous aime, Pauline. Je suis votre amie. Il me semble que je vous ai toujours connue. Vous me croyez, *no* ?

Avant de se quitter, les deux femmes s'embrassèrent.

13

Les représentations données, à Paris, par la *Compagnie des Andes* furent de pénibles échecs. La mise au point avait été difficile. Les décors, faits pour d'autres scènes, déroutaient les machinistes français ; d'où des changements trop lents et des entractes démesurés. Une nourriture insolite alourdissait les comédiens. Conchita, puis Corinna manquèrent des répétitions. En vain Dolorès s'efforçait de communiquer à la troupe le désir brûlant qu'elle avait de conquérir Paris. Les comédiens sentirent, le jour de la « générale », que l'auditoire ne les suivait pas ; ils se découragèrent et la mollesse de leur jeu paralysa Dolorès elle-même.

Grâce à l'influence de Mme Fontane, quelques critiques furent élogieux ; d'autres traitèrent avec un mépris irrévérencieux un spectacle, pour eux, inintelligible. Seul Hervé Marcenat analysa, comme il convenait, le génie de Dolorès Garcia ; il possédait des éléments de jugement qui manquaient à tous ses confrères. Quant au public, il s'abstint. La colonie espagnole, profondément divisée, s'intéressait plus aux opinions politiques des acteurs qu'à leur talent. Les spectateurs français, hors un petit groupe d'hispanisants, ne comprenaient pas les textes. Il fallut supprimer les dernières représentations, pour ne pas jouer devant une salle vide.

Dolorès Garcia en éprouva la plus douloureuse déception. Elle était venue à Paris comme un Musulman à La Mecque ; Paris la méconnaissait.

Quelle amère surprise ! Elle tenta, quelques jours, de se raccrocher à l'espoir de jouer en français. Pauline obtint que Léon Laurent reçût l'actrice, l'écoutât lire le rôle principal de *Tessa* et lui donnât des conseils. Il acheva de décourager Dolorès :

— Vous êtes, lui dit-il, une excellente comédienne. J'ai été vous voir dans *Noces de Sang*, dont je connaissais la traduction. Vous m'avez ému... Et je suis un dur... Seulement, si bien que vous parliez notre langue, vous avez un accent. A peine perceptible, et même charmant à la ville, il serait inacceptable au théâtre, sauf dans un petit nombre de rôles qui le justifieraient. Mais ils sont rares et ce serait, pour vous, une grave infériorité... Ma consultation tiendra donc en deux phrases : Prenez, pendant un an, des leçons de prononciation, ou renoncez à la scène française.

A Pauline, qui tentait de la consoler, Dolorès dit tristement :

— Non, je ne puis me remettre à l'école... et comment vivrais-je ici ?

— Alors qu'allez-vous faire ?

— Mon vieux poète espagnol, que j'aime bien, m'appelle à Tolède. Il souhaite qu'avant de rentrer à Lima, je passe un mois dans sa maison de campagne. Je l'ai visitée déjà. Le paysage me plaît, sombre et mystique. Je vais accepter.

— Encore un, dit Pauline, qui va se brûler à cette flamme !

Lolita retrouva une expression vive et gaie :

— Ne le plaignez pas ; il souhaite la brûlure... Et celui-là vit seul. Je ne ferai souffrir personne.

Le lendemain, vers midi, Pauline appela au téléphone l'hôtel Montalembert. On lui dit que Mme Garcia avait pris, le matin, l'avion pour Madrid. Stupéfaite, elle téléphona au théâtre, où l'on ne savait rien. L'actrice avait disparu comme une ombre.

Mme Fontane n'entendit plus parler de Lolita, sinon par un coup de téléphone affolé de Ramon de Martina qui l'avait, lui aussi, attendue en vain à Tolède. Plus tard Pauline apprit, du jeune poète chilien, que Dolorès, sans passer par Madrid, avait rejoint la *Compagnie des Andes* à Santander et quitté l'Europe.

— Elle avait été blessée, dit Pablo Santo-Quevedo. Alors, vous comprenez, elle ne voulait plus voir personne.

Pauline, attristée, annonça cette soudaine disparition à son mari qui terminait ses conférences en Suisse : « L'étrange fille ! écrivit-elle. Partie sans un adieu, sans laisser une trace, comme un être irréel... Elle aura été, dans la vie de Paris, un feu follet qui brille un instant, danse et soudain s'évanouit... »

14

Deux jours plus tard, Guillaume Fontane regagna Neuilly. Il éprouvait un curieux contentement de soi, parce qu'il avait vaincu une presque invincible tentation. Les premiers récits de Pauline l'étonnèrent. Elle louait sans fin Lolita, son charme, son esprit, ses vertus.

— Mais oui, Guillaume, *ses vertus*. Le fond, en elle, est innocence. Elle m'a fait beaucoup de bien, vous verrez ; elle m'a ouvert les yeux. Maintenant tout sera différent.

Sortis de leur jardin, ils étaient arrivés, sans le savoir, au bord du petit lac de Saint-James. Ils avaient marché avec allégresse. Pauline, toute pleine de son sujet, racontait ardemment, sans réticence ; Guillaume l'écoutait avec un bonheur surprenant, en partie parce qu'elle parlait de Lolita, surtout parce qu'il retrouvait une Pauline depuis longtemps perdue. C'était un beau jour d'arrière saison. L'eau du lac réfléchissait un ciel pur et des arbres immobiles. Fontane s'arrêta et leva sa canne :

— Je ne souhaite *pas* que tout soit différent, Pauline. Je souhaite reprendre avec vous la vie telle que nous la vivions avant ces... heu !... épisodes.

— Moi aussi. Mais on ne peut effacer un morceau du passé, et d'ailleurs ce serait dommage. J'en suis arrivée à l'accepter tout entier, ce passé, et même à l'aimer. Oui, Guillaume, je suis heureuse que vous ayez eu ce court bonheur. Heureuse pour vous, qui en garderez un beau souvenir ; heureuse pour moi, qui ai appris à vous respecter... Mais si, vous avez droit au respect, Guillaume ; un peu pour avoir conquis, surtout pour avoir renoncé.

— Et vous, Pauline, pour avoir dominé votre rigueur... Quelle joie de me retrouver seul avec vous ! Quelle qu'en soit la beauté, un sentiment qui oblige un homme à se diviser contre lui-même ne peut que le détruire — et se détruire.

Il s'arrêta et regarda longuement sa femme, comme s'il la découvrait :

— Que diable vous est-il arrivé, Pauline ? Vous avez rajeuni.

— C'est encore un miracle de Lolita. Vous ne remarquez rien ? Non ? Alors je ne vous dirai pas notre secret... Il y a une seule faveur, Guillaume, que je voudrais encore vous demander. Croyez-vous que vous pourriez, après tant d'années, cesser de me dire *vous* ? Figurez-vous que c'est une ambition que j'avais toujours nourrie, mais au début, je sentais chez vous une invincible résistance, due, me semblait-il, au souvenir persistant de Minnie... Ensuite, je n'ai plus osé pendant vingt ans... Pourtant puisque vous l'aviez fait, dès le premier jour, pour notre belle amie ?...

— Mais voyons, Pauline, cela va de soi. A partir de cette minute...

— Vous êtes très bon, dit-elle.

Il corrigea doucement :

— *Tu* es très bon... Le seul ennui est que les gens vont s'étonner.

— Les gens, dit-elle, ne remarquent rien.

Une jeune femme, très enceinte, passait avec un soldat qui la tenait par la main. Pauline les regarda longuement. Elle semblait heureuse, apaisée.

« Que j'ai été fou ! pensa Guillaume... Mais cette folie nous a peut-être sauvés de la plus triste vieillesse. »

Puis il reprit à haute voix :

— Si tu savais... Tout cela est si simple... Je cherchais seulement...

Leurs regards se rencontrèrent.

Un cygne glissa.

ROMANS-TEXTE INTÉGRAL

ARNOTHY Christine
343**   Le jardin noir (mars 1970)

AYCARD et LARGE
253*   Les perles de Vénus

BARBUSSE Henri
13**   Le feu

BARCLAY Florence L.
287**   Le Rosaire

BATAILLE Michel
302**   La ville des fous

BEAUMONT Germaine
33*   Le déclin du jour

BIBESCO Princesse
77*   Katia

BODIN Paul
332*   Une jeune femme

BORDEAUX Henry
20*   La robe de laine

BORDONOVE Georges
313**   Chien de feu.

BORY Jean-Louis
81**   Mon village à l'heure allemande

BUCK Pearl
29**   Fils de dragon
127**   Promesse

BURON Nicole de
248*   Sainte Chérie

CARRIÈRE Anne-Marie
291*   Dictionnaire des hommes

CARS Guy des
47**   La brute
97**   Le château de la Juive
125**   La tricheuse
173**   L'impure
229**   La corruptrice
246**   La demoiselle d'Opéra
265**   Les filles de joie
295**   La dame du cirque
303**   Cette étrange tendresse
322**   La cathédrale de haine
331**   L'officier sans nom
347**   Les 7 femmes (mai 1970)

CARTON Pauline
221*   Les théâtres de Carton

CASTILLO Michel del
105*   Tanguy

CASTLE J. et HAILEY A.
305*   714 appelle Vancouver

CASTRIES René de
310*   Les ténèbres extérieures

CESBRON Gilbert
6**   Chiens perdus sans collier
38*   La tradition Fontquernie
65**   Vous verrez le ciel ouvert
131**   Il est plus tard que tu
ne penses

CHEREAU Gaston
288**   Monseigneur voyage

CLARKE Arthur C.
349**   2001 - l'Odyssée de l'espace (mai 1970)

CLAVEL Bernard
290*   Le tonnerre de Dieu
300*   Le voyage du père
309**   L'Espagnol
324*   Malataverne
333**   L'hercule sur la place

COLETTE
2*   Le blé en herbe
68*   La fin de Chéri
106*   L'entrave
153*   La naissance du jour

COURTELINE Georges
3*   Le train de 8 h 47
59*   Messieurs les Ronds de cuir
142*   Les gaîtés de l'escadron

CURTIS Jean-Louis
312** La parade
320** Cygne sauvage
321** Un jeune couple
348*   L'échelle de soie (mai 1970)

DAUDET Alphonse
34*   Tartarin de Tarascon

DEKOBRA Maurice
286*   Fusillé à l'aube
292*   Minuit place Pigalle
307** Le sphinx a parlé
315*   Sérénade au bourreau
330** Mon cœur au ralenti
338** Flammes de velours

DHOTEL André
61*   Le pays où l'on n'arrive jamais

DUCHÉ Jean
75*   Elle et lui

DUTOURD Jean
318** Le déjeuner du lundi

ESCARPIT Robert
293*   Le littératron

FAST Howard
101** Spartacus

FLAUBERT Gustave
103** Madame Bovary

FRANCE Claire
169*   Les enfants qui s'aiment

FRONDAIE Pierre
297** L'homme à l'Hispano
306*   Deux fois vingt ans
314*   Béatrice devant le désir

GENEVOIX Maurice
76*   La dernière harde
180*   Sous Verdun
191*   Nuits de guerre

GILBRETH F. et E.
45*   Treize à la douzaine

GREENE Graham
4*   Un Américain bien tranquille
55**   L'agent secret
135*   Notre agent à La Havane

GUARESCHI Giovanni
1**   Le petit monde de don Camillo
52*   Don Camillo et ses ouailles
130*   Don Camillo et Peppone

GUTH Paul
236*   Jeanne la mince
258*   Jeanne la mince à Paris
329** Jeanne la mince et l'amour
339** Jeanne la mince et la jalousie (janvier 1970)

HURST Fanny
261** Back Street

KIRST H. H.
31**   08/15. La révolte du caporal Asch
121** 08/15. Les étranges aventures de guerre de l'adjudant Asch
139** 08/15. Le lieutenant Asch dans la débâcle
188*** La fabrique des officiers
224** La nuit des généraux
304*** Kameraden

KOSINSKI Jerzy
270** L'oiseau bariolé

LENORMAND H.-R.
257*   Une fille est une fille

LEVIN Ira
342** Un bébé pour Rosemary (février 1970)

LEVIS MIREPOIX Duc de
43*   Montségur, les cathares

L'HOTE Jean
53*   La communale
260*   Confessions d'un enfant de chœur

LOWERY Bruce
165*   La cicatrice

MALLET-JORIS Françoise
87**   Les mensonges
301** La chambre rouge
311** L'Empire Céleste
317** Les personnages

MALPASS Eric
340** Le matin est servi (Janvier 1970)

MARKANDAYA Kamala
117*   Le riz et la mousson

MARTIN VIGIL J.-L.
327** Tierra Brava

MASSON René
44*   Les jeux dangereux

MAURIAC François
35*   L'agneau
93*   Galigaï
129*   Préséances

MAUROIS André
71**   Terre promise
192*   Les roses de septembre

MERREL Concordia
336** Le collier brisé

MONNIER Thyde
    Les Desmichels :
206*   Grand-Cap. T. I
210** Le pain des pauvres. T. II
218** Nans le berger. T. III
222** La demoiselle. T. IV
231** Travaux. T. V
237** Le figuier stérile. T. VI

MORAVIA Alberto
115** La Ciociara
175** Les indifférents
208*** La belle Romaine
319** Le conformiste
334*   Agostino

MORRIS Edita
141*   Les fleurs d'Hiroshima

NATHANSON E. M.
308*** Douze salopards

NÉMIROVSKY Irène
328*   Jézabel

PEREC Georges
259*   Les choses

PÉROCHON Ernest
69*   Nêne

PEYRÉ Joseph
186** Jean le Basque

PEYREFITTE Roger
17**   Les amitiés particulières
86*   Mademoiselle de Murville
107** Les ambassades
325*** Les juifs
335*** Les Américains

PROUTY Olive
137** Une femme cherche son destin
184** Fabia

RENARD Jules
11*   Poil de Carotte
164*   Histoires naturelles

ROBLES Emmanuel
9*   Cela s'appelle l'aurore

ROMAINS Jules
    Les hommes de bonne volonté :
154*** Le 6 octobre. — Crime de Quinette. T. I
166*** Les amours enfantines. — Eros de Paris. T. II
170*** Les superbes. — Les humbles. T. III
181*** Recherche d'une église. — Province. T. IV
193*** Montée des périls. — Les pouvoirs. T. V
198*** Recours à l'abîme. — Les créateurs. T. VI
212*** Mission à Rome. — Le drapeau noir. T. VII
226*** Prélude à Verdun. — Verdun. T. VIII
233*** Vorge contre Quinette. — La douceur de la vie. T. IX
242*** Cette grande lueur à l'Est. — Le monde est ton aventure. T. X
250*** Journées dans la montagne. — Les travaux et les joies. T. XI
254*** Naissance de la bande. — Comparutions. T. XII
267*** Le tapis magique. — Françoise. T. XIII
282*** Le 7 octobre. Chronologie. Documents. Le fichier des hommes de bonne volonté. T. XIV

ROY Jules
100*   La vallée heureuse
(mai 1970)

SALISACHS Mercedes
296**   Moyenne corniche

SALMINEN Sally
263**   Katrina

SHUTE Nevil
316**   Décollage interdit

SIMON Pierre-Henri
83*   Les raisins verts

SIX PARISIENS ANONYMES
289*   Dictionnaire des femmes

SMITH Wilbur A.
326**   Le dernier train du Katanga

TROYAT Henri
10*   La neige en deuil
La lumière des justes :
272**   Les compagnons du coquelicot. T. I
274**   La Barynia. T. II
276**   La gloire des vaincus. T. III

278**   Les dames de Sibérie. T. IV
280**   Sophie ou la fin des combats. T. V
323*   Le geste d'Eve
344**   Les Eygletière — 1 (mars 1970)
345**   La faim des lionceaux (Les Eygletière — 2) (avril 1970)
346**   La malandre (Les Eygletière — 3) (avril 1970)

URIS Leon
143***   Exodus

VERY Pierre
54*   Goupi-Mains Rouges

VIALAR PAUL
57**   L'éperon d'argent
299**   Le bon Dieu sans confession
337**   L'homme de chasse

WALLACE Lew
79**   Ben-Hur

WEBB Mary
63**   La renarde

J'AI LU LEUR AVENTURE

ALLSOP Kenneth
A. 50*** Chicago au temps des incorruptibles du F.B.I

AMOUROUX Henri
A. 102** La vie des Français sous l'occupation. T. I
A. 104** La vie des Français sous l'occupation. T. II
A. 174*** Le 10 juin 1940

BALL Adrian
A. 128** Le dernier jour du vieux monde : 3 septembre 1939

BEKKER Cajus
A. 201*** Altitude 4 000

BÉNOUVILLE Guillain de
A. 162*** Le sacrifice du matin

BERBEN Paul
A. 72** L'attentat contre Hitler

BERBEN P. et ISELIN B.
A. 209*** Les panzers passent la Meuse

BERGIER Jacques
A. 101* Agents secrets contre armes secrètes

BOLDT Gerhard
A. 26* La fin de Hitler

BORCHERS Major
A. 189** Abwehr contre Résistance

BRICKHILL Paul
A. 16* Les briseurs de barrages
A. 68** Bader, vainqueur du ciel

BUCHHEIT Gert
A. 156** Hitler, chef de guerre. T. I
A. 158** Hitler, chef de guerre. T. II

BURGESS Alan
A. 58** Sept hommes à l'aube

BUSCH Fritz Otto
A. 90* Le drame du Scharnhorst

BUTLER et YOUNG
A. 98** Gœring tel qu'il fut

CARELL Paul
A. 9** Ils arrivent !
A. 27*** Afrika Korps
Opération Barbarossa:
A. 182** I. L'invasion de la Russie
A. 183** II. De Moscou à Stalingrad
Opération Terre brûlée :
A. 224** I. Après Stalingrad (janvier 1970)
A. 227** II. La bataille de Koursk (février 1970)
A. 230** III. Les Russes déferlent (mars 1970)

CARTAULT D'OLIVE F.
A. 178** De stalags en évasions

CARTIER Raymond
A. 207** Hitler et ses généraux

CASTLE John
A. 38** Mot de passe « Courage »

CHAMBE René
A. 91* Le bataillon du Belvédère
A. 118** La bataille du Garigliano

CHÉZAL Guy de
A. 143* En automitrailleuse à travers les batailles de mai
A. 150** Parachuté en Indochine

CLÉMENT R. et AUDRY C.
A. 160*   La bataille du rail

CLOSTERMANN Pierre
A. 6*   Feux du ciel
A. 42**   Le grand cirque

CONTE A.
A. 108**   Yalta ou le partage du monde

CRAWFORD John
A. 199*   Objectif El Alamein

DELMER Sefton
A. 96**   Opération radio-noire

DIVINE David
A. 197**   Les 9 jours de Dunkerque

DORNBERGER W.
A. 122**   L'arme secrète de Peenemünde

DUGAN et STEWART
A. 84**   Raz de marée sur les pétroles de Ploesti

FEDOROV A.
A. 125*   Partisans d'Ukraine. T. I
A. 126**   Partisans d'Ukraine. T. II

FELDT Eric
A. 170**   Espions-suicide

FORESTER C.S.
A. 25*   « Coulez le Bismarck »

FORRESTER Larry
A. 166*   Tuck l'immortel, héros de la R.A.F.

FRANK Wolfgang
            U. Boote contre les marines alliées :
A. 92**   I. Les victoires
A. 94**   II. Vers la défaite

GALLAND Général
A. 3**   Jusqu'au bout sur nos Messerschmitt

GOLIAKOV et PONIZOVSKY
A. 233**   Le vrai Sorge (avril 1970)

GUIERRE Cdt Maurice
A. 165*   Marine-Dunkerque
A. 177**   Bataille de l'Atlantique (La victoire des convois)

HANSSON Per
A. 211*   Traître par devoir, seul parmi les SS

HAVAS Laslo
A. 213**   Assassinat au sommet

HENN Peter
A. 36**   La dernière rafale

HEYDECKER et LEEB
A. 138**   Le procès de Nuremberg

IRVING David
A. 146**   La destruction de Dresde

KEATS John
A. 181**   Les soldats oubliés de Mindanao

KENNEDY SHAW W. B.
A. 74**   Patrouilles du désert

KIMCHE Jon
A. 124*   Un général suisse contre Hitler

KIRST Hans Hellmut
A. 140**   Sorge, l'espion du siècle (Voir la série ROMANS)

KNOKE Heinz
A. 81*   La grande chasse

LECKIE Robert
A. 184***   Les Marines dans la guerre du Pacifique

LEVY C. et TILLARD P.
A. 195**   La grande rafle du Vel d'Hiv

LORD Walter
A. 40**   Pearl Harbour
A. 45*   La nuit du Titanic

MACDONNEL J.-E.
A. 61*   Les éperviers de la mer

McGOVERN James
A. 176**   La chasse aux armes secrètes allemandes

McKEE Alexander
A. 180** Bataille de la Manche, bataille d'Angleterre

MARS Alastair
A. 32** Mon sous-marin l'Unbroken

MARTELLI George
A. 17** L'homme qui a sauvé Londres

METZLER Jost
A. 218* Sous-marin corsaire

MILLER Serge
A. 154** Le laminoir

MILLINGTON-DRAKE Sir Eugen
A. 236** La fin du Graf Spee (mai 1970)

MONTAGU Ewen
A. 34* L'homme qui n'existait pas

MOYZISCH L.-C.
A. 44* L'affaire Cicéron

MUSARD François
A. 193* Les Glières

NOBECOURT Jacques
A. 82** Le dernier coup de dé de Hitler

NOGUÈRES Henri
A. 120** Le suicide de la flotte française à Toulon
A. 191*** Munich ou la drôle de paix

NORD Pierre
Mes camarades sont morts :
A. 112** Le renseignement. T. I
A. 114** Le contre-espionnage. T. II

PEILLARD Léonce
A. 130** « Attaquez le Tirpitz ! »

PEIS Gunter
A. 110* Naujocks, l'homme qui déclencha la guerre

PERRAULT Gilles
A. 134** Le secret du Jour J

PHILLIPS Lucas
A. 175** Opération « Coque de noix »

PINTO Colonel Oreste
A. 35* Chasseurs d'espions

PLIEVIER Théodor
A. 132** Moscou
A. 179*** Stalingrad

PONCHARDIER Dominique
A. 205*** Les pavés de l'enfer

RAWICZ Slavomir
A. 13** A marche forcée

ROBICHON Jacques
A. 53*** Le débarquement de Provence
A. 116** Jour J en Afrique

RUDEL H. U.
A. 21** Pilote de Stukas

SAUVAGE Roger
A. 23** Un du Normandie-Niémen

SCHAEFFER Cdt Heinz
A. 15* U. 977. L'odyssée d'un sous-marin allemand

SCOTT Robert-L.
A. 56** Dieu est mon co-pilote

SERGUEIEW Lily
A. 136** Seule face à l'Abwehr

SILVESTER Claus
A. 172** Journal d'un soldat de l'Afrika-Korps

SKORZENY Otto
A. 142* Missions secrètes

SPEIDEL Gén. Hans
A. 71* Invasion 44

TANSKY Michel
A. 111* Joukov, le maréchal d'acier

THORWALD Jürgen
A. 167*** La débâcle allemande

TOLEDANO Marc
A. 215**   Le franciscain de Bourges

TOMPKINS Peter
A. 86**   Un espion dans Rome

TROUILLÉ Pierre
A. 186**   Journal d'un préfet pendant l'occupation

TULEJA T.V.
A. 100*   Midway, tournant de la guerre du Pacifique

TULLY Andrew
A. 221**   La bataille de Berlin

VON CHOLTITZ Général
A. 203**   De Sébastopol à Paris

YOUNG Desmond
A. 62**   Rommel

YOUNG Gordon
A. 60*   L'espionne n° 1, la Chatte

L'AVENTURE MYSTÉRIEUSE

BARBARIN Georges
A. 216*   Le secret de la Grande Pyramide
A. 229*   L'énigme du Grand Sphinx (février 1970)

BATAILLE Michel
A. 192**   Gilles de Rais

BERNSTEIN Morey
A. 212**   A la recherche de Bridey Murphy

CHARROUX Robert
A. 190**   Trésors du monde

CHEVALLEY Abel
A. 200*   La bête du Gévaudan

CHURCHWARD James
A. 223**   Mu, le continent perdu
A. 241**   L'univers secret de Mu (juin 1970)

FULOP-MILLER R.
A. 195**   Raspoutine et la fin des Tsars

HASTIER Louis
A. 188**   La double mort de Louis XVII

HUTIN Serge
A 238*   Hommes et civilisations fantastiques (mai 1970)

LARGUIER Léo
A. 220*   Le faiseur d'or, Nicolas Flamel

MILLARD Joseph
A. 232**   L'homme du mystère (Edgar Cayce) (mars 1970)

MOURA Jean et LOUVET Paul
A. 204**   Saint-Germain, le Rose-Croix immortel

OSSENDOWSKI Ferdinand
A. 202**   Bêtes, hommes et dieux

RAMPA T. Lobsang
A. 11**   Le troisième œil
A. 210**   Histoire de Rampa
A. 226**   La caverne des Anciens (janvier 1970)

SAURAT Denis
A. 187*   L'Atlantide et le règne des géants
A. 206*   La religion des géants

SÈDE Gérard de
A. 185**   Les Templiers sont parmi nous
A. 196*   Le trésor maudit de Rennes-le-Château

SENDY Jean
A. 208*   La lune, clé de la Bible

TARADE Guy
A. 214**   Soucoupes volantes et civilisations d'outre-espace

VILLENEUVE Roland
A. 198**   Poisons et empoisonneurs célèbres
A. 235**   Loups-garous et vampires (avril 1970)

L'AVENTURE AUJOURD'HUI

BAR-ZOHAR Michel
A. 222**   Les vengeurs

CUAU Yves
A. 217**   Israël attaque

DAN Ben
A. 228**   L'espion qui venait d'Is-
             raël (février 1970)
A. 231*   Mirage contre Mig
             (mars 1970)

DAYAN Yaël
A. 237*   Lieutenant au Sinaï
             (mai 1970)

DELPEY Roger
A. 219**   Soldats de la boue.
             (I. La bataille de Co-
             chinchine)
A. 225**   La bataille du Tonkin
             (Soldats de la boue.II.)
             (janvier 1970).

HONORIN Michel
A. 234*   La fin des mercenaires
             (avril 1970)

ÉDITIONS J'AI LU

*35, rue Mazarine, Paris-VI*e

Exclusivité de vente en librairie
FLAMMARION

23.669. — Imp. « La Semeuse », Etampes. — C.O.L. 31.1258
Dépôt légal : 4e trimestre 1969
PRINTED IN FRANCE